LA
SUITE

Éditeur :
Frères & Cie.
4267 Boulevard St-Laurent, Bureau 100
Montréal, Québec
H2W1Z4

Dépôts Légaux : 4e trimestre 2018
Dépôt légal - Bibliothèque et Archives nationales du Québec, 2018
Dépôt légal - Bibliothèque et Archives Canada, 2018
Dépôt légal - Bibliothèque nationale de France, 2018

ISBN 978-2-9817756-0-3

Conception de la couverture :
Bite size entertainment

Photo de la couverture :
Pierre Manning / Shoot studio

Révision / correction :
Interscript et Nicole Duchesne

Photocomposition et mise en page :
Bite size entertainment
Typographie : Minion 12,5 sur 15

Imprimé et relié au Québec

Jérémy Demay

LA
SUITE

Je dédie cet écrit aux personnes pour qui
j'ai le plus d'amour, ma famille.

Maman, ma sœur Tatou et mon frère Benji.
Je suis privilégié d'être dans vos vies.

À la mémoire de mon père, Pierre Demay

Sommaire

Introduction

Au moment où j'écris ces lignes, ça fait deux ans que mon premier livre, *La Liste*, est sorti. Comme ce dernier a connu un grand succès commercial, on m'a souvent demandé quand le prochain arriverait. J'ai toujours répondu : « Il arrivera quand il arrivera. » Voyez-vous, je ne suis pas du genre à forcer la création, j'aime la laisser venir. Et il se trouve qu'avant aujourd'hui je n'avais pas envie d'écrire quoi que ce soit.

J'aime l'idée de laisser la vie couler simplement. **J'ai longtemps pensé que je pouvais la contrôler et être plus fort qu'elle.** Aujourd'hui, je pense autrement. En fait, je vous citerai simplement la phrase qui est écrite dans le bureau de ma psychologue : « **Relaxe, car rien n'est sous contrôle.** »

Depuis que j'ai écrit mon premier livre, j'ai reçu des centaines de messages de gens dont la vie a changé pour le mieux grâce aux outils qu'ils y ont découverts. Certains m'ont confié qu'ils avaient changé de travail, quitté leur conjoint ou vendu leur maison. D'autres ont posé des gestes beaucoup moins compromettants, mais tout aussi bénéfiques. Comme si ce livre avait été le déclic dont ils avaient besoin pour cheminer vers quelque chose de meilleur.

Si cela vous concerne, sachez que je suis admiratif. Je sais à quel point ça prend du courage pour faire des changements dans sa vie.

Le confort d'une vie qu'on aime moyennement est souvent plus sécurisant qu'un départ à l'aventure vers quelque chose de totalement inconnu.

Mon amie Stéphanie Carrières, thérapeute énergétique dont je parle dans mon premier livre, a accueilli un nombre considérable de nouveaux clients. Ma psychologue, dont je parle aussi dans mon premier livre, a pu aider, entre autres, plusieurs personnes qui avaient décidé de mettre fin à leurs jours. Je trouve ça magnifique qu'un simple écrit ait contribué à sauver leur vie.

Je ne peux qu'être honoré de participer à ce beau processus. Mais sachez que je reste très humble par rapport à tout ça. **Je trouve fascinant de voir que le simple fait de partager son parcours peut avoir un énorme effet sur les autres.**

Je ne suis pas engagé politiquement, je n'écoute jamais les nouvelles et je ne m'exprime pas publiquement au sujet des décisions du gouvernement. Tout ce que je veux, c'est me libérer de ma souffrance et être en paix. Je crois profondément que c'est de cette façon qu'on créera un monde meilleur : **en choisissant de s'épanouir davantage.**

Je ne peux qu'encourager le fait que vous lisiez ce livre (ou un autre du même genre). **Ça montre que vous avez soif de plus de choix et de plus de joie.**

Je ne suis ni un gourou ni un maître spirituel. Je suis simplement un humain qui souhaite partager les outils qui l'ont aidé et qui ont contribué à enrichir sa vie.

Au fil des pages de ce livre, j'espère que vous trouverez des conseils qui enrichiront votre vie.

Je suis persuadé que cet ouvrage arrivera dans les mains de ceux qui veulent du mieux dans leur vie et qu'il leur fera office de soutien. Je souhaite aussi, comme ce fut le cas avec mon précédent livre, qu'il se retrouve entre les mains de ceux qui ne se sont pas encore résolus à faire des changements dans leur vie. **Oui, c'est possible que ce livre ait simplement l'effet d'une bougie d'allumage. Parfois, il n'en faut pas plus pour décider d'améliorer sa condition.**

Je nous souhaite de connaître l'abondance, de vivre heureux et en paix.

Bonne lecture !

Jérémy

CHAPITRE 1

Reconnecter avec ma souffrance

« Ce que l'homme ne veut pas apprendre par la sagesse, il l'apprendra par la souffrance. »

— MAÎTRE MELKISEDECH

« Ce n'est pas en regardant la lumière qu'on devient lumineux, mais en plongeant dans son obscurité. Mais ce travail est souvent désagréable, donc impopulaire. »

— CARL G. JUNG

Au cours de la dernière année et demie, j'ai vécu une nouvelle période intérieurement. J'ai reconnecté avec ma souffrance.

D'aussi loin que je me souvienne, j'ai fait le choix de nier mes sentiments négatifs. Je tiens à dire que même si ce choix était inconscient, il demeurait le mien.

Naturellement, plusieurs éléments m'ont amené au déni. Tout d'abord, la mort de mon père quand j'avais huit ans a été un tel traumatisme que j'ai décidé de me couper de mes émotions négatives. Ça faisait trop mal d'avoir mal. Inconsciemment, mon cerveau s'est dit :

« Ca fait trop mal, alors je vais me dissocier de mes émotions négatives jusqu'à nouvel ordre. »

J'ai aussi grandi avec une mère qui ne m'a jamais enseigné à ressentir et à exprimer mes sentiments. Bien entendu, en aucun cas je ne mets le blâme sur ma maman, **car comme tous les parents, elle m'a enseigné ce qu'elle avait appris.**

C'est facile de blâmer ses parents pour tel ou tel comportement ou de leur dire qu'ils auraient pu faire différemment. Il se peut même que vos parents aient posé des gestes infâmes envers vous.

Aussi dur que ça puisse être à comprendre, **nos parents ont fait du mieux qu'ils ont pu avec ce qu'ils avaient, et surtout, avec ce qu'ils étaient.** Même si vous ressentez de la rancune envers eux, vous avez peut-être oublié tout ce temps qu'ils ont passé à vous bercer, à vous habiller et à vous nourrir.

Je trouve beau et important de régulièrement témoigner de ma reconnaissance envers ma mère pour tout ce qu'elle a fait pour moi. **D'ailleurs, je vous encourage tous à le faire : il faut dire à nos parents qu'ils ont été exactement les parents qu'ils devaient être. Ils ont fait du mieux qu'ils étaient capables de faire et ils nous ont permis de devenir la personne que nous sommes aujourd'hui.**

Après tout, et je sais que ce que je vais dire peut en déranger certains, ils ne nous ont pas forcés à devenir comme eux. C'est nous, enfants, qui avons décidé de prendre exemple sur eux. **Je trouve plus honnête de prendre mes responsabilités que de blâmer quelqu'un d'autre.**

En ce qui me concerne, j'ai une mère aimante. Mais j'ai aussi une mère en déni de ses sentiments profonds. Encore aujourd'hui, quand je lui demande comment elle se sent, elle est souvent incapable de nommer l'émotion. D'ailleurs, d'après mes souvenirs, ma mère m'a toujours dit qu'elle allait bien. Je l'ai rarement vue exprimer sa tristesse, sa colère ou toute autre émotion. J'ai une mère qui a aussi tendance à atténuer la force des événements : « Ce n'est pas grave, ça va passer. Pense à autre chose. » Bref, ma mère n'a pas appris à connecter avec sa souffrance. Naturellement, j'ai choisi de l'imiter.

Ainsi, j'ai passé une bonne partie de ma vie à ne pas ressentir certaines émotions pour les empiler dans ce que j'appelle « un sac à émotions ».

Depuis mars 2016, un changement s'est produit en moi. À première vue, ce changement s'est installé sans raison apparente, mais je crois qu'il est la conséquence de ce travail sur moi que je fais depuis plusieurs années.

J'ai commencé à ressentir consciemment plein d'émotions et à les exprimer. Ainsi, et pour en nommer quelques-unes, il m'est arrivé de me sentir confus, démotivé, découragé, chagriné, désorienté, déprimé, impuissant, agité et terrifié.

J'ai même pensé que je faisais une autre dépression. En réalité, j'étais dans le processus de « vidage de sac d'émotions emmagasinées », comme s'il était temps pour moi d'accéder à un nouvel endroit en moi. Un endroit plus profond et plus sombre. Un endroit qui me terrifiait. Un endroit que je ne voulais pas voir. **À force de ne pas vouloir le voir, il a fini par grossir au point de se percer.**

Naturellement, cela a eu un certain effet sur ma vie professionnelle. Les gens qui étaient habitués à voir un clown toujours heureux, souriant et enjoué ont parfois vu un gars plus maussade, triste et calme, **bref un humain.**

Certains me l'ont fait remarquer en exprimant un certain malaise. C'est souvent ce qui arrive quand on enlève son masque social pour faire place à plus de vérité. Nous mettons alors les gens en face de leur propre vérité, ce qui fait qu'ils ressentent un malaise. **Normal, car le vrai malaise ne vient pas de l'autre, mais toujours de notre connexion à nous-même.**

Ce que j'ai appris

L'enseignement que je retire de ce processus est simple. **La seule façon de se libérer de cette souffrance est d'accepter de la ressentir totalement.**

J'ai compris que si je continuais à agir comme ma mère me l'a appris, en niant ma souffrance, je ne faisais que la placer encore plus devant moi. Dans son livre *Conversations avec Dieu,* Neale Donald Walsch le dit bien : « Ce à quoi tu résistes persiste. Ce que tu regardes disparaît. »

Accueillir sa souffrance est une merveilleuse occasion d'évoluer et d'en apprendre plus sur soi. La souffrance permet de faire place à quelque chose de profond.

Voyez-vous, il m'est arrivé certains jours de me sentir triste sans aucune raison. Je me levais le matin avec une envie de pleurer. Mettez-vous à ma place, dans mon système, j'ai toujours eu besoin d'une raison pour être triste. **Mais là, pour la première fois de ma vie, j'avais envie de pleurer sans raison.**

J'ai donc décidé d'accueillir, de connecter pleinement avec cette souffrance. Je me disais que cette tristesse avait besoin de monter, car je ne m'étais pas permis de la vivre à son origine. Chaque fois qu'elle finissait par m'envahir, je me mettais à pleurer toutes les larmes de mon corps. Je pleurais beaucoup, je pleurais fort, et parfois, je criais. Ça pouvait durer quinze à vingt minutes.

Ce qui suit est troublant. **Une fois que les pleurs se terminaient, je ressentais toujours une profonde paix, un calme indescriptible.** Comme si je rentrais au plus profond de mon être et que rien ne pouvait déranger cet état.

Petite partie suicidaire

Durant cette sombre période, il m'est même arrivé de connecter avec une petite partie suicidaire que j'ignorais de moi. J'ai eu des pensées sombres. Pas au point de me dire : « Je vais le faire bientôt », mais au point de penser aux différentes façons de mettre fin à ma vie.

Quelques mois auparavant, le père de mon meilleur ami avait mis fin à la sienne. J'ai longtemps pensé que le suicide était un choix égoïste. Comment peut-on vouloir abandonner sa famille et tous les gens qui nous aiment?

J'ai compris. J'ai ressenti cette souffrance si intense que le suicide semble la seule option. **J'ai compris que quand on souffre au point de penser au suicide, on ne se demande pas comment les proches vont faire pour vivre sans nous, mais plutôt comment on peut faire pour arrêter de souffrir.** Et après plusieurs mois ou plusieurs années à se sentir ainsi, mettre fin à ses jours peut sembler la seule option.

Pour ma part, même si ça n'a duré que quelques jours, je peux maintenant dire que je n'avais jamais connecté avec autant de souffrance.

Que faire face à un suicidaire?

Je crois que nombreux sont ceux qui se sentent impuissants face à un proche qui veut mettre fin à ses jours. Naturellement, je crois que la meilleure option est de le guider vers un thérapeute, un spécialiste de la santé mentale ou une ligne d'appel avec des gens qui sont là pour aider.

En voici une : 1-866-APPELLE (277-3553)

Reste que beaucoup d'entre eux ne veulent rien savoir de ces solutions.

Dans ce cas, je crois que la chose à faire est d'être là pour cette personne. De l'écouter de façon empathique pour tenter de comprendre sa détresse. En fait, je crois que l'idée est de lui montrer qu'elle n'est pas seule et qu'elle est importante pour nous.

Retour au calme

On m'a déjà dit : «Au-dessus des nuages, il y a toujours le soleil.» Je suis d'accord. Après avoir passé cette période où des peurs profondément ancrées dans mon inconscient refaisaient surface, j'ai retrouvé le calme.

Une fois de plus, j'ai compris que la seule façon de guérir une souffrance, c'est de rentrer complètement dedans pour lui faire face et la nettoyer. Même si cette période a été désagréable par moments, je vois à quel point elle a été nécessaire.

D'abord pour vider mon sac d'émotions, mais surtout pour apprendre à me connecter à moi, à gagner davantage de confiance intérieure et à me voir avec plus de bienveillance.

En résumé, cette souffrance m'a permis de passer à un autre niveau de conscience.

En bref,
je connecte avec
ma souffrance
pour la
faire sortir.

CHAPITRE 2

Just do it

« La distance entre vos rêves et la réalité est appelée action. »

- ANONYME

Il y a quelques mois, je parlais avec un ami qui me disait qu'il souhaitait perdre du poids. Il m'a demandé conseil pour savoir ce que je lui suggérais. Naturellement, je lui ai répondu : « As-tu vraiment envie de perdre du poids ? » Ce à quoi il m'a répondu : « Oui ! » Il a marqué une pause et m'a dit : « Mais ça ne suffit pas. Même si j'ai la volonté, je n'arrive pas à me discipliner. »

J'avoue être resté sans argument. **Il arrive que malgré notre volonté, nos habitudes soient si profondément ancrées qu'elles nous empêchent de passer à l'action.** Pourtant, je pense que la solution est simple. C'est comme le slogan de Nike : *Just do it !* Nous voulons nous mettre à courir, alors courons. Courons juste un peu, juste une fois.

Pourquoi ?

Comme l'explique Neil Pasricha dans son livre *The Happiness Equation*, **juste le faire un peu nous démontre qu'on peut le faire. Et réaliser qu'on peut le faire nous donne envie de le faire.**

Après tout, si nous voyons que nous sommes capables de courir 100 mètres, nous voudrons en courir 200, puis 300, puis 400.

On me demande souvent comment j'ai fait pour avoir le courage de déménager au Québec, seul, il y a douze ans. **Je l'ai fait.** On me demande comment j'ai réussi à percer dans le milieu de l'humour. **Je l'ai fait.** J'ai écrit cinq minutes, puis cinq autres. Je suis allé faire une prestation, puis une autre. On me demande souvent comment j'ai fait pour écrire un livre. **Je l'ai fait.** Je me suis assis à mon bureau et j'ai écrit une première ligne. Là, je me suis dit : « Si j'ai écrit une ligne, je peux en écrire dix. Si je peux en écrire dix, je peux écrire un livre. »

Juste le fait de réaliser qu'on est capable de faire juste un peu de ce qu'on souhaite accomplir permet de croire qu'on peut le faire vraiment, jusqu'au bout.

Neil Pasricha l'exprime parfaitement :

La motivation ne crée pas l'action. L'action crée la motivation.

Peu importe ce que nous voulons. Faisons-le ! Pas d'excuses. Pas de « je le ferai quand je serai là ou quand j'aurai ça. » Non ! Faisons-le, tout simplement !

Une fois que nous avons décidé de faire quelque chose, plusieurs trucs peuvent nous aider à le faire. L'histoire de l'auteur Ramit Sethi l'illustre bien :

« J'avais du mal à me motiver à aller faire du sport. Tous les matins, je me réveillais et je me disais que je devais aller à la salle d'entraînement. Puis je me rendormais. C'est là que je me suis rendu compte que la motivation n'était pas suffisante pour changer de comportement. Et quand je me suis demandé pourquoi je n'y arrivais pas, j'ai réalisé que mon garde-robe était dans une autre chambre. Je devais donc marcher dans le froid jusqu'à l'autre chambre. C'était plus simple de rester couché. Une fois que j'ai compris ça, j'ai déposé mes vêtements de sport à côté de mon lit. À mon réveil, la première chose que je voyais, c'étaient mes vêtements de sport. Résultat, ma présence à la salle de sport a augmenté de 300 %. »

En rapprochant ses vêtements de sport, Ramit ne donne pas le temps à son esprit de changer d'avis et de le démotiver.

Vous le savez comme moi, si on se donne le temps de penser, notre mental pourrait nous dire : « Tu veux vraiment faire du sport ? Tu as déjà essayé et ça n'a rien donné. Et puis c'est plus tentant de rester au chaud dans ton lit. »

En posant vite l'action, on n'a plus d'excuse, on le fait, point final. Et plus on le fait, plus on a envie de le faire. (Tous ceux qui font du sport régulièrement ressentent ça.)

Je nous le rappelle. **Peu importe ce que nous voulons faire, faisons-le. Faisons-le au moins un peu. Car juste en le faisant un peu, on croira qu'on peut le faire. Tout simplement.**

En bref,
Just do it.

Chapitre 3

Il suffit d'une heure

« La vie commence chaque matin. »

- Joel Osteen

« La personne que vous devenez est bien plus importante que ce que vous faites. Et pourtant, ce sont vos actes qui conditionnent la personne que vous devenez. »

- Hal Elrod

Chaque matin, avant d'écrire, je m'assois dans le silence pour calmer l'agitation de mon esprit, et il arrive que surgissent alors des idées. Au fait, j'aborde plusieurs de ces idées dans ce livre.

J'ai un peu abordé le prochain sujet dans mon premier livre, mais depuis quatre jours, mon intuition me souffle d'en reparler ici. **Après tout, se remémorer les choses est souvent bon.**

Un jour, un ami m'a dit : « Le pire ennemi de l'artiste, c'est le succès », car une fois que tu as atteint ce que tu voulais, il arrive que tu perdes un peu de motivation.

Je dois avouer qu'au cours des derniers mois j'ai perdu de la motivation et ma joie de vivre. Je ne pense pas que ce soit le succès (de ma carrière) ou le confort qui m'aient démotivé, mais plutôt la période tumultueuse de « vidage d'émotions » que j'avais besoin de traverser.

C'est ainsi que je me suis rappelé la chose suivante : il y a beaucoup de choses que je ne peux pas contrôler, mais il y en a une que j'ai le pouvoir d'améliorer, ma journée.

Ainsi, chacune de mes journées commence par une routine matinale. C'est précisément à ce moment-là que se dessine le degré de bien-être d'une journée réussie.

Me créer une routine matinale simple et accessible me permet d'avoir plus d'énergie, d'être plus productif et d'acquérir plus de clarté.

C'est dans ces éléments que réside mon épanouissement personnel.

Jim Rohn l'a bien dit : « Votre niveau de succès dépassera rarement votre niveau d'épanouissement personnel, car le succès est une chose que vous attirez selon la personne que vous devenez. »

Recommandations

Il existe plusieurs écrits sur le sujet, mais le meilleur selon moi, c'est *The Miracle Morning (Tout se joue avant*

8 heures), de Hal Elrod. Ce livre me parle beaucoup, car l'auteur a eu un grave accident et a souffert d'une dépression majeure pendant plusieurs mois pour ensuite se créer une vie merveilleuse.

La recette est simple :

Se créer une routine matinale qui donne l'énergie de devenir chaque jour la personne que l'on aimerait être.

Est-ce que vos matins sont doux, paisibles et clairs ou stressants, agités ou désordonnés ? En ce qui me concerne, je vis les deux. Il y a de bonnes et de moins bonnes journées. **Quoi qu'il en soit, une routine nous aide à nous recentrer afin de voir ce qui est vraiment important pour nous.**

Hal Elrod parle de *Life SAVERS*. En fait, chaque lettre du mot «*savers*» correspond à une des clés qui pourraient faire partie de notre routine.

S pour Silence

Ceux qui me connaissent savent combien j'aime la méditation. **Je l'ai découverte il y a quelques années et elle m'aide à vraiment calmer mon esprit et aiguiser mon intuition.** J'y reviendrai plus tard en détail, mais sachez que beaucoup de gens ayant réussi leur vie ont déclaré que la méditation avait joué un grand rôle dans leur réussite professionnelle et personnelle.

A pour Affirmations

J'y reviendrai également plus tard dans ce livre, mais je crois aujourd'hui que répéter une simple phrase deux ou trois fois après la période de méditation est suffisant pour orienter notre destinée. Oui, une simple phrase vraiment ressentie du genre : « L'abondance fait partie intégrante de ma vie. »

V pour Visualisation

Je visualise souvent certains de mes objectifs ainsi que la personne que je veux devenir pendant que je verbalise mes affirmations.

E pour Exercice

Vingt minutes de marche, de course, d'abdos ou de yoga font très bien le travail. Comme j'ai vu mon père mourir d'une crise cardiaque, j'ai grandi en voulant me garder en forme. Ainsi, ma plus grande priorité dans la vie reste ma santé physique et mentale.

R pour Reading (lecture)

C'est toujours bon de lire les écrits de gens qui sont passés par où nous sommes passés et de voir comment ils s'en sont sortis. **J'ai souvent dit que si on achète un livre à 25 dollars et qu'on trouve dans ce livre un seul conseil qui nous inspire grâce auquel notre vie change un peu, alors on vient de rentabiliser notre achat.**

S comme Scribbing (terme signifiant facilitation graphique au sens propre)

Hal Elrod nous conseille d'écrire nos ambitions, nos rêves, nos peurs, etc. Je suis assez d'accord avec ce processus. Ce n'est pas la première fois que je lis un tel conseil et ceux qui ont lu mon premier livre, *La Liste*, savent que j'ai longtemps écrit des pages « du matin » (exercice tiré du livre de Julie Cameron, *Libérez votre créativité*).

C'est un procédé simple qui consiste à s'installer devant une feuille blanche tous les matins pour écrire trois pages sur ses états d'âme. **Cet exercice est assez puissant, car il permet d'éliminer ses pensées parasites et de faire place à ses aspirations profondes.**

Toutefois, je veux être clair.

Je ne dis pas qu'il est absolument nécessaire de pratiquer ces six occupations chaque matin (celles du *Life Savers*). Ce que je souhaite, **c'est vous inspirer pour que vous trouviez votre propre routine,** celle qui vous donne de l'énergie, celle qui vous apporte calme et clarté d'esprit. **Notre monde extérieur sera toujours le reflet de notre monde intérieur.** Adopter une certaine routine matinale est assurément un moyen fantastique pour bien démarrer chacune de ses journées.

En me disciplinant pour arriver à suivre ma routine, j'ai de bonnes chances d'améliorer mes journées.

- En améliorant mes journées, j'améliore ma semaine.
- En améliorant mes semaines, j'améliore mon mois.
- En améliorant mes mois, j'améliore mon année.
- En améliorant mes années, j'améliore ma vie.

Ainsi, en améliorant ma journée, j'améliore ma vie. Au même titre qu'un marathon commence par un pas, notre destinée commence par une heure.

En bref, ma routine matinale améliore ma vie.

Chapitre 4

Nous sommes créateurs

« L'imagination est une faculté de notre esprit qui nous permet de voir l'invisible et de le matérialiser dans notre monde physique. »

- Philip Pierson

Selon le dictionnaire Larousse, matérialiser signifie concrétiser quelque chose d'abstrait.

D'aussi loin que je me souvienne, j'ai souvent réussi à concrétiser mes souhaits. Comme certains d'entre nous, je l'ai longtemps fait inconsciemment, **c'est-à-dire que j'ai créé des choses sans vraiment savoir comment je m'y prenais.**

Puis je suis tombé sur le livre *Conversations avec Dieu*, de Neale Donald Walsch. J'aimerais préciser que, contrairement à ce qu'on peut penser, ce livre ne traite aucunement de religion.

L'auteur nous présente son livre sous la forme d'une conversation questions/réponses qu'il a soi-disant eue avec Dieu. Chacun est libre de croire si cette conversation a eu lieu ou non. En ce qui me concerne, ça n'a pas d'importance, car la sagesse qui se dégage de ce livre me parle beaucoup. Je m'y réfère d'ailleurs très souvent.

Une des clés de ce livre est que l'auteur nous explique le processus de création :

La pensée, la parole et l'action. Il dit « **Ce que tu penses, ce dont tu parles et ce que tu fais se manifestent dans ta réalité.** » Ainsi, on crée chaque instant de notre vie sans même le savoir. Certains le font consciemment, d'autres inconsciemment.

Je trouve à la fois merveilleux et terrifiant de réaliser que chacune de nos pensées est créative à un certain niveau, sauf **qu'à partir de maintenant nous sommes obligés d'être responsable de tout ce qui est dans notre vie.** Car oui, presque toutes les expériences que nous vivons font partie de nos pensées, de nos paroles ou de nos actions.

Mon ami Franck Lopvet l'explique bien dans son livre *Un homme debout* quand il dit que les gens ont dans leur vie exactement ce qu'ils ont demandé. **Ainsi, au lieu de nous poser la question : « Pourquoi je n'ai pas ce que j'ai demandé ? », il nous encourage à nous demander :**

« Pourquoi est-ce que c'est ça que j'ai demandé ? »

En fait, il nous encourage à apprendre à contrôler nos pensées. Et comme le dit Neale Donald Walsch : « La seule façon de les contrôler, c'est de les observer. Il suffit de penser à ce qu'on pense. »

Monsieur Walsch nous encourage à imaginer notre vie telle qu'on veut qu'elle soit et à modeler nos pensées, paroles et actions sur cette vision. Et si on a une pensée qui n'est pas modelée sur notre vision, alors il nous invite à changer de pensée. Il nous invite en fait à « manipuler » notre esprit. Et pourquoi pas ? Après tout, notre esprit n'est-il pas manipulé par des éléments extérieurs une bonne partie de notre vie ?

La plupart de nos constructions mentales (nos peurs, nos hontes et certaines de nos opinions) viennent de notre enfance, de nos parents, de notre éducation, de notre environnement et, même, des nouvelles négatives qui nous bombardent tous les jours. **Si nous avons pu construire notre esprit en nous laissant envahir par des facteurs extérieurs, nous devrions pouvoir déconstruire notre esprit et le reconstruire comme nous le voulons.**

Ma compréhension est qu'il est essentiel de ne pas « rebrousser » chemin et de poursuivre notre intention. Voyez-vous, il arrive que nous voulions quelque chose, alors nous pensons/parlons/agissons dans ce sens. Si ce « quelque chose » n'arrive pas assez vite, nous avons souvent tendance à nous démoraliser et à nous dire : « Oh ! Ça n'arrivera pas ! C'est trop dur. Ça ne me tente plus. » Et en faisant ça, sans le savoir, on vient d'annuler notre demande. Ainsi, la plupart des gens oscillent entre « je commande » et « je décommande ».

Selon Franck Lopvet, l'équation semble simple de prime abord : intention + attention (action que tu poses) = obtention.

Je suis actuellement dans ce processus et je me rends compte à quel point il exige un incroyable effort, car cela demande d'être constamment à l'affût des pensées qui nous viennent. Pourtant, je crois que c'est là que réside notre pouvoir créateur, ce pouvoir que nous avons de faire apparaître des choses dans notre vie.

Ordonner la matière

Je réalise en ce moment que j'ai souvent utilisé cette façon de faire dans mon processus de création sans même le savoir.

Au début de chaque création, que ce soit un livre, un spectacle ou une chanson, je me suis souvent dit : « Ça existe déjà. J'ai juste à l'écrire, car ce que je souhaite créer est déjà là, en moi ou quelque part... » Ainsi, ce livre que vous êtes en train de lire était déjà là. J'avais juste à me présenter à mon bureau quand l'inspiration arrivait, et c'est tout.

Je me souviens quand Alex Nevsky et moi écrivions notre chanson *Vivant*, que je fais jouer à la fin de mon spectacle. À peine avait-il fini de composer un simple essai de mélodie que je lui ai dit : « C'est ça, on l'a ! » Il m'a regardé étonné en me disant : « On a juste un début de mélodie. » À quoi j'ai répondu : « Tu ne comprends pas, on l'a ! Elle est là, elle existe déjà, on a juste à continuer à faire ce qu'on fait, c'est bon ! Elle est magnifique ! » **Ainsi, je reconnais le fruit de la création qui était déjà là.** Et de fait, cette chanson est devenue ce que je pensais qu'elle était : magnifique.

Ne pas supplier

Dans les deux livres précédemment cités, les auteurs disent la même chose : supplier ou être continuellement en train de dire « je veux telle chose » ne l'attire pas vers nous, mais la repousse, car le message qui se cache derrière nos « je veux » est : « je n'ai pas encore ». **Si on supplie la vie de nous donner ce qu'on n'a pas, on envoie un message de manque,** et c'est ce qui va se passer : on n'aura pas. Ainsi, on peut remplacer « je veux » par « j'ai ».

En fait, ces auteurs nous encouragent à dire que les choses sont déjà là et même à remercier la vie pour ce qui n'est pas encore là tout en ressentant l'émotion que nous ressentirons une fois que notre souhait sera exaucé. Certains doivent se dire : « Jérémy, si je n'ai pas, comment je serais censé dire que j'ai ? » La réponse est : en pensant que tu as. En disant que tu as. En ressentant et en posant une nouvelle action. Rappelez-vous, je n'avais pas encore écrit la chanson, mais elle était là au fond de moi. Surtout, j'en étais profondément convaincu.

C'est fascinant pour moi de constater que c'est de cette façon que nous créons. **Avant, nous le faisions inconsciemment. Aujourd'hui, nous pouvons le faire consciemment.**

En bref,
j'ordonne la
matière et la
matière s'ordonne.

CHAPITRE 5

On attire
ce que l'on vibre

> « L'univers ne travaille pas pour vous donner des leçons; l'univers ne répond qu'à votre vibration. »
>
> - **ABRAHAM**

Je trouve cette citation d'Abraham parfaite. Elle nous enseigne une loi primordiale que j'ai retrouvée dans plusieurs livres et conférences sous différentes formes. Je crois que l'explication la plus claire vient de mon ami Franck. Dans une vidéo intitulée *Acceptation de soi*, que l'on peut trouver sur YouTube, il nous explique que nous vivons dans un monde vibratoire où tout est énergie.

En gros, on vit ce que l'on vibre.

Si on vibre à la peur, on demande à l'univers de nous faire vivre des situations où on aura peur. Naturellement, si on vibre à la joie, on vit de la joie.

Et de quoi sont faites ces vibrations ? De ce que l'on dégage consciemment et inconsciemment.

Donc peu importe ce qu'on demande, on le demande avec ce qu'on pense et avec ce qu'on ressent à un niveau profond. Ainsi, on émet une demande consciente et une vibration inconsciente, et c'est la plus forte des deux qui se matérialise.

Par exemple, si consciemment je veux de l'argent, mais que je pense inconsciemment : « L'argent a détruit ma famille, l'argent rend les gens mauvais, l'argent n'est pas facile à gagner », alors il y a une dissonance entre le conscient et l'inconscient, et le résultat risque d'être un *up and down* sur le plan de l'argent.

Tout notre ensemble de croyances loge dans nos vibrations. Ainsi, les gens qui croient que la vie est difficile, que le gouvernement nous vole et que les gens sont tous des menteurs vivent exactement cela. C'est pourquoi j'adore cette fameuse phrase : « Dans la vie, on n'attire pas ce qu'on veut, on attire ce qu'on est. »

Ce qu'on peut faire consciemment

Ce qu'on peut faire consciemment Le « conscient », c'est ce qu'on croit pouvoir changer grâce à la technique expliquée dans le chapitre précédent.

Et inconsciemment

En ce qui concerne les programmations inconscientes, j'encourage les gens à aller voir des thérapeutes dont l'approche est appropriée à leurs besoins. Renseignez-vous, entre autres, sur l'hypnose ou la thérapie EMDR (*Eye Movement Desensitization and Reprocessing*). Il existe plusieurs autres formes de thérapie. Ces techniques aident à faire remonter nos vieilles blessures à la surface et à les guérir.

Sinon, je vous propose la méditation (dont je parlerai plus tard) ou encore des séminaires comme ceux que donne Franck Lopvet. Ce dernier réussit à nous aider à faire remonter ces peurs et blocages inconscients qui sont enfouis au plus profond de nous. Il m'a été d'une grande aide et je lui en suis très reconnaissant. Il lui arrive de venir au Québec. Alors, si le cœur vous en dit, voici son site : www.francklopvet.com

Payer le prix de notre inconscience

Dans le premier chapitre, j'ai décidé de parler de mes souffrances. La raison pour laquelle j'ai fait cela est simple. Je sais que si je me maintiens dans le déni face à elles, elles vont ressortir à un moment ou l'autre.

Faire face à nos hontes et à nos peurs nous aide à les faire remonter consciemment afin de les faire disparaître.

Selon moi, ce qui s'est passé avec Éric Salvail et Gilbert Rozon en est une belle illustration. Je ne suis ni psychologue ni expert en la matière, mais j'ai l'impression que ces deux personnes ont sûrement vécu (comme bon nombre d'entre nous) des événements marquants ou traumatisants dans leur enfance, des événements qu'ils n'ont pas réglés. Ces blessures enfouies les ont sûrement influencés et amenés à poser des gestes qu'ils regrettent probablement aujourd'hui.

Quand j'ai appris ce qui s'était passé, j'ai ressenti de la compassion autant pour les victimes que pour les bourreaux.

Je me suis dit avec humilité que si j'avais été à leur place, avec leur vécu et leurs blessures, j'aurais peut-être agi de la même façon.

Je ne crois pas que l'humiliation publique soit la meilleure façon de régler ce genre de choses, mais il faut croire que nous devons aller parfois jusque-là pour nous secouer et nous réveiller. **Parfois, nous devons payer le prix de notre inconscience pour en prendre conscience.**

Ce n'est pas en luttant pour garder la tête hors de l'eau qu'on s'aide, mais plutôt en plongeant dans ce qu'on ne veut pas voir. Je pense que la clé réside dans le fait de plonger en nous, mais encore faut-il avoir le courage de faire face à notre côté sombre.

En bref,
j'attire ce
que je vibre.

CHAPITRE 6

Notre part d'ombre

« Le pire des défauts est de les ignorer. »

- **PUBLILIUS SYRUS**

Comme je l'ai déjà dit, nous choisissons inconsciemment d'agir comme nos parents. Nous nous laissons aussi envahir par certaines de leurs peurs et certains de leurs doutes.

Si nous grandissons avec des parents colériques, impatients et méfiants, nous ne devenons pas les mêmes adultes que si nous grandissons auprès de parents confiants, calmes et respectueux.

Si nous ne réussissons pas à nous débarrasser de nos conditionnements, il y aura toujours une partie de nous qui restera ancrée dans notre enfance selon les choix de nos parents et nous ne serons jamais vraiment libres de devenir l'adulte que nous souhaitons être.

Les événements

Si ce ne sont pas nos parents, ce sont des événements marquants qui guideront notre vie. Je me rappelle un jour, j'avais à peu près neuf ans. J'ai regardé sous la jupe de ma mère. C'est à ce moment qu'elle m'a dit : « Je ne veux pas d'un fils pervers. » Ma mère a réagi du mieux qu'elle pouvait et je ne peux pas la blâmer pour ça.

De mon côté, je me souviens d'avoir ressenti une profonde honte de ce que j'avais fait, et le mot « pervers » est resté gravé dans mon esprit, comme si j'avais admis l'idée que j'en étais un. J'ai dû « déraciner » ça en thérapie des années plus tard en réalisant que le mot « pervers » résonnait encore dans ma tête depuis ce moment. Ça avait même influencé ma façon d'aborder la sexualité plus tard dans ma vie.

Pour ceux qui sont visuels

Comme personne n'a eu de parents parfaits et que nous avons tous vécu des événements marquants, nous ressemblons tous à ce croquis.

Les croix représentent toutes nos blessures inconscientes.

Je crois fermement que si nous voulons améliorer notre vie, la clé réside dans le fait d'aller à la racine de nos traumatismes et de nos blessures pour les déraciner de notre être afin de nous en libérer.

Comme je l'ai dit, les thérapeutes qualifiés et certaines techniques ont été pour moi d'excellentes avenues pour y parvenir, car la plupart de ces blessures étaient enfouies dans mon inconscient.

Se réapproprier consciemment

Si le manque d'argent ou de temps ne nous permet pas d'aller voir des thérapeutes, nous pouvons tout de même faire un bout de chemin nous-même en nous réappropriant consciemment nos côtés sombres.

Nous avons tous déjà entendu cette phrase : « Tu fais de la projection.» Qu'est-ce que la projection ?

C'est un mécanisme qui consiste à déverser sur quelqu'un des pensées, des désirs ou des caractéristiques que l'on n'a pas encore acceptés ou vus en soi.

En d'autres mots, nous projetons à l'extérieur de nous une partie de nous-même que nous refusons de voir. Nous aimons mieux croire que nous sommes de beaux êtres humains, gentils et aimables. Ce n'est pas le cas. Nous avons aussi une grande part d'ombre.

Comment ?

Une bonne façon de déceler notre part d'ombre est d'observer ce qui nous énerve dans le comportement des autres.

Un jour, j'ai vu un autre humoriste parler haut et fort à tout le monde pour se faire remarquer. Je me souviens de m'être alors dit intérieurement que cette attitude m'horripilait. En y pensant une minute, je me suis rendu compte que ce besoin d'attention et de reconnaissance de la part des autres faisait aussi partie de moi.

Une autre façon de voir notre part d'ombre est d'écouter ce que les autres disent ou pensent de nous. Si leur perception et leur jugement nous atteignent, c'est peut-être que nous n'avons pas accepté certaines choses en nous.

Récemment, j'ai entendu dire qu'un journaliste m'avait trouvé arrogant lors de la promotion de mon premier livre. Il m'a qualifié de « Monsieur Je-sais-tout qui donne des leçons aux autres. » Quand j'ai entendu ce commentaire, j'ai été troublé d'apprendre qu'il pensait ça de moi, car ce n'était pas mon intention. Après coup, je me suis dit : « J'ai un côté condescendant et c'est peut-être ce qu'il a perçu. »

Ainsi, il y a des côtés de moi que je ne voulais pas voir et que j'ai finalement acceptés :

- *égocentrique;*
- *menteur :* j'ai souvent menti;
- *voleur :* j'ai déjà volé des stylos, de l'argent ou même du temps à quelqu'un d'autre;

- *colérique* : j'ai longtemps voulu être vu comme un gars toujours calme et en totale possession de ses moyens. Un jour, j'ai accepté qu'il arrive que j'aie besoin de me mettre en colère et de l'exprimer en criant un bon coup;

- *violent* : mes paroles ont souvent blessé les gens autour de moi, sans que ce soit consciemment mon intention.

Je pourrais continuer ainsi pendant trois pages, mais je suis sûr que vous comprenez le principe.

Pourquoi?

J'imagine que certains se demandent pourquoi ils devraient se réapproprier leur part d'ombre. La réponse se trouve dans cette phrase :

« On n'attire pas ce qu'on veut, on attire ce qu'on est. »

Nous allons attirer des personnes et des situations qui sont en résonance avec qui nous sommes. Je citerai Jean Monbourquette qui l'a bien dit dans son livre *Apprivoiser son ombre* : « Ces éléments mal aimés de soi survivent et cherchent à s'affirmer. Si leur propriétaire n'en reconnaît pas l'existence, ils se retourneront contre lui, lui feront peur et lui créeront des ennuis d'ordre psychologique et social. »

Nous allons donc inévitablement attirer ce que nous nions de nous. Par exemple, tant et aussi longtemps que je n'admets pas qu'il m'arrive d'être manipulateur, je vais me faire manipuler.

Le paradoxe

Il existe un paradoxe dans ce processus. **En reconnaissant cette part d'ombre, non seulement nous ressentons un apaisement et une détente profonde, mais l'énergie qui y est associée nous permet de mieux agir.**

Par exemple, imaginons quelqu'un en déni de son côté colérique. Le jour où sa colère surgira, il y a fort à parier qu'il ne pourra pas la contrôler et qu'il parlera ou agira d'une manière regrettable. À l'inverse, en étant conscient de cette partie de lui, il sera mieux outillé pour gérer l'intensité de sa colère, le moment venu. Il pourra par exemple exprimer sa colère sans tout casser autour de lui.

Je comprends qu'aller à la découverte de nos zones d'ombre puisse nous terrifier. Nous avons peur de ce que nous pourrions y trouver. Surtout, nous avons peur de ce que les autres pourraient penser de nous.

C'est en partie la peur du rejet ou de l'abandon, ou la crainte que les gens ne nous aiment pas, qui nous empêche d'avouer qui nous sommes vraiment.

Le fait est qu'en ayant le courage de nous voir vraiment, nous nous permettons d'être nous-même. Alors, nous pourrons inspirer les autres à faire la même chose, et surtout, à se libérer de ce poids social qui fait que nous voulons tous absolument montrer à quel point nous sommes de belles personnes.

De plus, une fois qu'on reconnaît qui on est réellement, on peut décider de ne plus agir ainsi.

Si, dans ma vie, j'ai déjà menti ou volé et que je reconnais ça de moi, ça me permet maintenant de faire d'autres choix que le mensonge ou le vol.

Rappelons-nous une dernière fois : nous allons attirer ce que nous rejetons ou ne voulons pas voir de nous. À l'inverse, ce que nous acceptons va s'atténuer pour ne plus être un sujet de dérangement dans notre vie.

En bref,
je me regarde
sincèrement.

CHAPITRE 7

86 400 secondes par jour

« La question n'est pas de savoir combien de temps nous serons là, mais ce que nous ferons de ce temps. »

- ANONYME

« Notre obsession du temps qui passe nous fait oublier que c'est nous qui passons. »

- PIERRE RABHI

Il y a quelques mois, je suis tombé sur un témoignage qui m'a beaucoup marqué. Je crois qu'il s'agissait d'un ancien président ukrainien qui a passé plusieurs années en prison. Dans cette vidéo, il explique que lorsqu'il était enfermé, il passait beaucoup de temps à penser au monde dans lequel on vit. Il y affirme quelque chose que nous savons tous, soit que nous vivons dans un monde capitaliste et que nous dépensons beaucoup pour nous procurer des choses matérielles dont nous n'avons pas vraiment besoin. Il poursuit en disant : « **Quand on achète quelque chose, on ne l'achète pas avec son argent, mais avec le temps qu'on a mis pour gagner cet argent.** »

Supposons que je gagne 800 dollars par semaine et que je décide de m'acheter le nouvel iPhone qui vient de sortir. Ça signifie qu'il va me coûter une semaine et demie de mon temps. Je trouve ça intéressant de le voir ainsi, car ça peut nous amener à nous poser certaines questions :

– Est-ce que j'ai vraiment besoin de m'acheter cet article à ce prix ?

– Est-ce que je veux consacrer autant de temps à mon travail ?

– Est-ce que je pourrais choisir d'avoir moins de choses, mais de passer plus de temps de qualité avec mes amis ou ma famille ?

Une chose est sûre : nous vivons tous avec un sablier de temps limité. On ne sait pas combien de temps on a. Et on ne peut ni en acheter ni en louer. On peut juste en profiter ou en perdre. C'est sûrement notre ressource la moins concrète. Pourtant, c'est celle qui a le plus de valeur.

On a l'impression qu'il nous reste beaucoup de temps. Pour ma part, j'ai trente-cinq ans, et ces années ont passé en un claquement de doigts. Naturellement, je ne veux pas que ça devienne un facteur de stress permanent, mais que ça m'aide juste à garder en tête ce que je veux accomplir, ce que je veux faire ou être.

J'ai l'impression qu'en définitive ce que l'on souhaite tous, c'est avoir plus de temps.

Alors je nous demande : le temps que nous avons, est-ce que nous l'utilisons de la bonne façon ? Est-ce que je l'utilise pour aimer ou créer ? Est-ce que je m'en sers pour faire un pas dans la direction de mes rêves et de mes aspirations, ou au contraire, est-ce que je le laisse filer et disparaître à jamais ?

On passe en moyenne quarante-cinq ans de notre vie à travailler. Est-ce que notre travail nous passionne ? Est-ce que nous comptons les jours avant le week-end et les années avant la retraite ou, au contraire, avons-nous l'impression de nous accomplir ?

La parabole du caillou

On dit qu'une image vaut mille mots.

J'aimerais vous raconter une histoire que certains ont peut-être déjà lue ou entendue. Selon moi, cette histoire fait surgir une image mentale assez forte.

Un professeur de philosophie se présente avec un grand bocal en main dans une salle de classe comble. Il pose le bocal sur son bureau et commence à le remplir à ras bord de gros galets. Il demande ensuite à ses étudiants : « Selon vous, ce bocal est-il rempli ? » À quoi les étudiants répondent : « Oui. »

Le professeur prend alors un sachet rempli de gravier qu'il verse dans le bocal. Il le secoue un peu pour qu'il remplisse tous les espaces encore vides. Il demande ensuite à ses étudiants : « Ce bocal est-il rempli ? » Un peu intrigués, ils répondent : « Oui. »

Le professeur prend un petit sac de sable qu'il verse dans le bocal. Le sable s'écoule dans les petits espaces encore libres. Il demande alors à ses étudiants : « Maintenant, ce bocal est-il rempli ? » À quoi les élèves répondent : « Cette fois, oui, il est bel et bien rempli ! »

Le professeur prend alors une carafe d'eau et la verse dans le bocal jusqu'à ras bord. Il conclut lui-même : « Cette fois, le bocal est vraiment rempli. »

Il regarde ensuite ses étudiants en disant : « J'aimerais que vous compariez ceci à votre propre existence. Les gros galets représentent les choses véritablement importantes dans votre vie, ces choses qui font que, même si vous perdez tout le reste, votre vie n'en sera pas moins remplie. Les gravillons représentent, quant à eux, les choses qui sont importantes, mais non essentielles. Enfin, les grains de sable et l'eau peuvent être comparés aux choses sans importance. Décidez de quoi vous souhaitez que votre vie soit remplie et choisissez ce que vous voulez faire en premier. Si vous commencez par mettre le sable ou l'eau dans le bocal, il ne restera plus de place pour le gravier ou les galets. »

En d'autres mots, si nous choisissons de consacrer trop de temps aux choses qui n'ont pas d'importance, nous en manquerons pour les choses qui en ont.

Le temps est magique

Le temps nous permet de vivre nos passions, de pardonner à ceux qui nous ont blessés, de créer des relations nourrissantes et de devenir une meilleure version de nous-même.

L'argent, les idées et le matériel sont des ressources qui adoucissent notre vie. Il reste que **notre ressource la plus chère est le temps, simplement parce que c'est la seule qui est limitée.**

En bref,
est-ce que
j'utilise bien les
86 400 secondes
de chacune de
mes journées ?

Chapitre 8

Les cinq regrets

*« Faire un grand changement de vie est effrayant.
Mais vous savez ce qui est encore plus effrayant?
Les regrets. »*

- Anonyme

Les gens âgés m'ont souvent fasciné par leurs histoires et leur sagesse. Souvent, j'aime leur point de vue sur cette belle aventure qu'est la vie. J'aime leur demander ce qu'ils en ont compris et ce qu'ils auraient aimé faire de plus ou de moins.

Les cinq regrets

Il y a quelque temps, je suis tombé sur un article où une infirmière du nom de Bronnie Ware avait interviewé des gens sur leur lit de mort et leur avait demandé quels étaient leurs plus grands regrets et ce qu'ils auraient aimé faire différemment. **Le plus troublant, c'est que les mêmes regrets revenaient très souvent.**

Voici les principaux regrets mentionnés par ces gens :

1. J'aurais souhaité avoir le courage de vivre ma vie en m'écoutant et non en fonction de ce que les autres voulaient de moi.

Il est vrai que nous avons tendance à nous oublier au profit des autres. Certains parlent même de sacrifices pour leurs enfants ou leur conjoint.

J'ai souvent entendu : « Je ne peux pas suivre mes rêves, j'ai des enfants à nourrir. » Je l'entends et je peux le comprendre. De plus, il est vrai que nous avons une certaine responsabilité vis-à-vis des enfants, mais à quel prix ? **Au point de s'oublier complètement et de ne pas suivre l'élan de son cœur ?** Je n'ai pas encore d'enfants, mais j'ai toujours pensé que grandir en voyant ses parents faire ce qu'ils aiment est plus bénéfique que de voir ses parents cumuler du ressentiment pendant des années, voire toute une vie, parce qu'ils font quelque chose qu'ils détestent.

2. J'aurais aimé ne pas travailler autant.

Tous les hommes interviewés ont répondu ça ! Ils disent regretter de ne pas avoir assez profité de leur compagne de vie et de ne pas avoir vu leurs enfants grandir.

3. J'aurais souhaité avoir le courage d'exprimer mes sentiments.

Nous sommes nombreux à ne pas exprimer nos sentiments. Certains le font parce qu'ils n'ont jamais appris à le faire. D'autres le font parce qu'ils se sont eux-mêmes coupés de leurs sentiments, ou encore, par peur que cela fasse des vagues dans leurs relations.

4. J'aurais aimé rester en contact avec mes amis.

Une fois de plus, c'est facile d'oublier d'appeler nos amis en raison de notre travail ou de notre paresse à entretenir une amitié.

5. J'aurais aimé me permettre d'être plus heureux.

Pour citer l'écrit de Bronnie Ware : « La plupart n'ont pas réalisé que le bonheur est un choix. Ils sont restés coincés dans de vieilles habitudes. La peur du changement leur a fait croire qu'ils étaient satisfaits, alors qu'au plus profond d'eux-mêmes ils auraient aimé avoir plus de fous rires et de folie dans leur vie. »

Merci

Je trouve ça beau et inspirant d'avoir accès à cette information. Je tenais à vous en faire part, car même si elle peut sembler évidente, je la trouve essentielle et tellement importante.

Une étude sur soixante-quinze ans

J'ai passé une bonne partie de ma vie adulte à croire que l'argent et la réussite étaient ce qui allait me rendre heureux. J'avais ce conditionnement qui me chuchotait régulièrement à l'oreille : « Tu as besoin de réussir pour devenir quelqu'un. Tant qu'on n'aura pas reconnu ton talent, tu ne pourras être quelqu'un. » Et cette réussite n'arrivait jamais. **Dès que je réussissais quelque chose, je voulais autre chose, je voulais plus. C'était un puits sans fond.**

L'autre jour, je suis tombé sur une conférence TED (*Technology, Entertainment and Design*) donnée par Robert Waldinger, directeur de recherche sur le développement des adultes à l'Université Harvard, qui a révélé le résultat d'une étude très intéressante.

Harvard a mené une étude auprès de jeunes adultes afin de savoir ce qui les rendrait heureux. Résultat : 80 % d'entre eux ont répondu que ce serait de devenir célèbres et 50 % que ce serait de devenir riches. Les chercheurs de Harvard ont voulu aller plus loin. Ils se sont dit qu'ils pourraient suivre des gens tout au long de leur vie pour voir leur évolution sur ce même sujet du bonheur. En fait, cette étude réalisée sur des adultes est à ce jour celle qui s'est le plus étendue dans le temps.

Ainsi, les chercheurs ont suivi 724 personnes pendant soixante-quinze ans. Bien entendu, beaucoup ont quitté l'aventure pour différentes raisons. Mais ils ont tout de même pu suivre 60 d'entre elles, qu'ils ont étudiées pendant soixante-quinze ans. Toutes avaient des situations sociales différentes. Certaines avaient commencé leur vie avec une cuillère en argent dans la bouche tandis que d'autres provenaient de milieux plutôt précaires. Certaines sont devenues très riches, d'autres sont devenues très pauvres, et ce, peu importe leur situation de départ.

Qu'est-ce qui a rendu ces gens heureux dans leur vie au final ? Ce n'est ni l'argent, ni la célébrité, ni leur travail.

Ce qui a rendu ces gens le plus heureux et épanouis, ce sont leurs relations avec les autres.

En effet, les connexions humaines sont très bonnes pour nous. La recherche a prouvé une fois de plus que les gens qui se sentent seuls ont une moins bonne santé et vivent une vie plus courte.

Ainsi, ce sont nos amis, notre famille, nos relations de travail et nos animaux domestiques qui nous procurent une satisfaction profonde et durable.

*En bref,
je me demande
maintenant quels
sont les regrets que
je ne veux pas
avoir à 85 ans.*

62

CHAPITRE 9

Les cinq langages de l'amour

« Le destin peut réunir deux personnes, mais c'est le devoir de l'amour de les garder ensemble. »

- ANONYME

Comme n'importe qui en couple, au début, l'amour est au rendez-vous et nous vivons comme dans un film de Walt Disney. Puis, la vie suit son cours, la routine s'installe et il arrive qu'on s'éloigne l'un de l'autre.

Bien entendu, il se peut que vous réalisiez que vous n'êtes pas du tout faits l'un pour l'autre et, dans ce cas, ce qui suit ne s'applique pas à vous. **Mais si vous êtes dans une période plus difficile et qu'au plus profond de vous vous savez que le chemin avec l'autre n'est pas encore terminé, alors ce chapitre s'adresse à vous.**

Étant moi-même dans une relation depuis plusieurs années, j'ai connu de beaux hauts et des bas sombres avec ma conjointe. Il m'est arrivé plusieurs fois d'entendre ma blonde me dire : « J'ai l'impression que tu ne m'aimes plus. » **Et c'est vrai qu'il m'est arrivé plusieurs fois de me demander si je l'aimais encore.** Après avoir compris ce que je vais partager ici avec vous, j'ai compris qu'en réalité l'amour était encore présent, mais **qu'il ne pouvait vivre sans qu'on décide de l'entretenir.**

Voyez-vous, depuis plusieurs années, je prône que nous sommes responsables de combler nos besoins. On peut demander à notre conjointe ou à notre conjoint de nous aider à le faire, mais si l'autre n'est pas ouvert à cette idée, alors il nous faut trouver une façon de combler nos besoins. À l'heure où je vous parle, je pense encore la même chose, mais avec une petite variante.

Pourquoi ?

Après la lecture du merveilleux livre *Les 5 langages de l'amour*, de Gary Chapman, **j'ai réalisé que lorsqu'on a l'impression que l'amour n'est plus au rendez-vous, c'est qu'en réalité nous nous sommes manqués émotionnellement.**

L'auteur explique qu'entretenir notre amour est comme entretenir un jardin. Si on ne l'arrose pas régulièrement, il s'étiolera et disparaîtra. **En d'autres mots, entretenir notre amour demande volonté et discipline.** Chaque être humain détient un « réservoir émotionnel ». Si ce réservoir n'est pas régulièrement rempli, il empêche le reste de notre être de fonctionner. Et la conséquence est que la relation se détériore.

Garder notre réservoir plein

Je ne vous apprends rien quand je vous dis qu'on a tous en nous ce besoin profond d'être aimé et que si nous prenons le temps de comprendre comment nous aimons être aimé, notre réservoir émotionnel se remplit et cela nous permet de ressouder notre lien amoureux avec notre conjointe ou notre conjoint.

L'équation est simple : **réservoir émotionnel plein = lien amoureux soudé.**

L'erreur que la plupart d'entre nous commettent est d'aimer l'autre personne comme nous aimerions être aimé. Et je dis que c'est une erreur, car si l'autre personne ne souhaite pas être aimée de la même façon que nous, le lien s'effrite. Le pire dans tout ça, c'est que nous ne comprenons même pas pourquoi.

Nous pensons avoir tout fait comme il fallait, et pourtant, l'autre personne se plaint que la relation ne la satisfait plus comme avant.

Je me suis retrouvé dans cette situation où je disais : « Je fais ça et ça, et ça aussi pour toi. Je ne comprends pas pourquoi tu n'es pas satisfaite ? »

Très simple

Gary Chapman nous explique qu'il existe cinq langages de l'amour et que si chacun apprend à parler le langage de l'autre, alors ce sentiment d'amour a de bonnes probabilités de durer.

Comparons cela au moment où nous arrivons dans un pays étranger et que nous ne parlons pas la langue ou le dialecte de l'endroit. Les gens sont alors beaucoup plus ouverts à nous aider. À l'inverse, si nous ne faisons que communiquer en anglais avec des gens qui ne parlent que l'allemand, par exemple, la communication et la compréhension mutuelle risquent d'être très limitées.

Les cinq langages de l'amour

Il existe donc cinq langages de l'amour que voici :

Le temps de qualité passé avec l'autre

Ce sont de beaux moments passés ensemble où on accorde notre pleine attention à l'autre. La routine a vite fait de s'installer, et les moments de qualité passés ensemble viennent contrecarrer cette routine. Dans ce cas, il suffit de demander à l'autre quel genre de temps de qualité il ou elle aimerait passer avec nous.

Les mots de soutien et d'encouragement

Ce sont des compliments que l'on fait à l'autre. Ça peut être aussi simple que de féliciter l'autre d'avoir fait la vaisselle ou de lui dire à quel point vous le trouvez beau ou la trouvez belle, ou encore à quel point vous aimez sa façon de se comporter.

Le toucher physique

Ça peut être une caresse ici et là, un bisou, une main passée dans les cheveux, bref, un geste physique.

Service rendu

Dans ce cas, il suffit de demander à sa ou à son partenaire quel service on pourrait lui rendre pour lui faire plaisir : ranger la vaisselle, cuisiner un bon repas, sortir les poubelles, l'accompagner quelque part, tondre le gazon, etc.

Les petites attentions

Ça peut être aussi simple que de lui acheter sa pomme préférée, qu'elle trouvera sur la table le soir en rentrant. La valeur n'a pas d'importance, c'est l'intention qui compte. Comme je l'ai dit ci-dessus, il se peut qu'apprendre à parler le langage de l'autre nous demande un effort, car ce langage n'est pas naturel pour nous.

Une ou deux

La plupart d'entre nous possèdent un langage principal de l'amour. Certains en ont deux, mais un dominant. Ainsi, il suffit de trouver quel langage nous parlons et quel langage parle notre conjoint-e afin d'apprendre à comprendre ce langage et à le parler.

Souvent, nous sommes essoufflés parce que notre relation ne fonctionne pas malgré tous nos efforts. C'est souvent parce qu'au lieu de parler la langue de l'amour de l'être aimé nous parlons la nôtre.

Mon langage de l'amour est le toucher physique, et c'est souvent le langage que j'ai privilégié avec ma blonde. Après avoir compris que son langage amoureux était celui des services rendus, je me suis rendu compte que j'aurais pu appliquer autant de touchers physiques et de toutes les manières possibles, je n'aurais jamais pu remplir le réservoir d'amour de ma conjointe.

L'amour, un défi

Nos relations nous mettent constamment au défi. Elles nous poussent dans nos retranchements. Elles sont souvent source d'impatience et de frustration. Elles nous déboussolent. On se sent perdu.

La beauté de nos relations intimes, que nous voyons souvent comme une souffrance, est qu'elles nous forcent à aller explorer une partie de nous qu'on ne veut pas voir. Nos relations intimes nous permettent de nous connaître davantage.

Grâce à ma relation avec ma blonde, j'ai pu voir que j'étais parfois égocentrique, contrôlant, manipulateur, impatient et colérique. Toutes ces choses font partie de moi, que je veuille le voir ou non. **Somme toute, je crois qu'une relation saine avec notre partenaire est le plus beau des cadeaux, car elle nous aide à devenir pleinement nous.** Nous sommes nombreux à arriver à ce point dans notre couple où l'on se demande : « Est-ce que notre chemin se sépare ici ou si, avec des efforts, on peut tenter de s'investir dans quelque chose qui pourrait être plus beau ? »

J'ai compris qu'il faut entretenir l'amour entre deux personnes. C'est pour ça que j'ai décidé de mettre les efforts afin de le faire revivre en me demandant d'abord quels sont nos langages de l'amour.

Si les deux apprennent à parler le langage amoureux de l'autre, les deux réservoirs resteront pleins, les reproches disparaîtront et l'amour aura une chance de renaître.

On a tous entendu cette fameuse phrase : « Aime l'autre comme tu aimerais être aimé. »

Alors qu'en fait c'est plus : « Aime l'autre comme cette personne veut être aimée. »

En bref,
j'apprends à
parler le langage
de l'autre.

Chapitre 10

Les chemins de l'harmonie

« S'ils veulent être heureux ensemble, les époux doivent être nés avec le don du compromis gracieux. »

- Robert Louis Stevenson

J'ai longtemps fait passer ma carrière avant tout et, comme je suis de nature égocentrique, j'ai longtemps priorisé mon envie de réussite. Il faut croire qu'ayant atteint mon rêve j'ai décidé de donner plus d'importance à d'autres aspects de ma vie.

Aujourd'hui, mon couple a une place importante et c'est pour cela que je suis très attiré par tous ces outils sur le sujet. J'ai entendu plusieurs fois que le couple est le meilleur moteur d'évolution qui soit. Étant continuellement avec une autre personne, l'autre agit, sans le vouloir, comme un miroir sur nous. L'autre nous confronte à nos traits de caractère et à nos comportements de façon presque instantanée.

Mars et Vénus

Nous avons tous entendu parler du célèbre livre *Les hommes viennent de Mars, les femmes de Vénus,* de John Gray. L'auteur nous explique avec finesse et intelligence les différences claires qui existent entre les hommes et les femmes. **En apprenant à respecter nos différences, nous apprenons à mieux vivre ensemble.**

Dernièrement, on m'a recommandé un livre du même auteur : *Mars et Vénus, les chemins de l'harmonie.* J'aimerais partager avec vous quelques notions que j'ai comprises et mises en pratique à la suite de cette lecture.

La complémentarité

J'ai souvent entendu cette phrase : « Les contraires s'attirent. » Après la lecture de ce livre, j'ai compris que ce sont plutôt les complémentaires qui s'attirent.

Sans nécessairement le savoir consciemment, nous sommes à la recherche d'un équilibre intérieur, un peu comme ce fameux dessin du yin et du yang. Nous sommes donc naturellement attirés par des personnes ayant des traits de caractère qui sont en nous et que nous aimerions développer.

En fait, ce qui nous attire chez l'autre, c'est notre propre potentiel qui demande juste à être développé et exploité. Par exemple, un homme fort, avec un côté logique développé, sera attiré par une femme douce et intuitive.

Se connaître pour comprendre

Nous sommes ce que nous sommes grâce à notre enfance, à notre éducation et à notre relation avec nos parents. Ainsi, chacun développe ses traits de caractère selon son vécu. Je ne vous ferai pas la liste de tous mes traits de caractère, mais je vous en mentionne un qui est éloquent.

Comme mon père est mort quand j'étais très jeune, j'ai été élevé par ma mère et ma sœur. Autant vous dire qu'il n'y avait pas beaucoup de testostérone dans cette maison. Ainsi, j'ai développé mon côté féminin. Je suis devenu un homme sensible.

Étant un homme sensible, j'ai attiré à moi une femme avec un côté un peu agressif, pas physiquement, mais dans sa façon de parler. Parfois, lorsque ma blonde prend un ton sec et froid, ça vient me chercher. Je me sens agressé et j'ai du mal à communiquer.

Après la lecture du livre *Mars et Vénus, les chemins de l'harmonie*, tout s'est éclairci. Comme je suis sensible, j'ai attiré une femme avec un côté agressif. J'ai ainsi compris que ce qui vient me chercher quand elle est agressive, ce n'est pas elle en tant que tel, mais plutôt moi qui ai du mal à accepter ma propre virilité.

Se voir grâce à l'autre

Je pourrais très bien dire que je quitte cette femme-là pour en trouver une plus calme et plus tendre, alors qu'en réalité ma blonde m'a fait prendre conscience que j'aurais intérêt à développer ma virilité.

Combler les besoins

Plusieurs experts en la matière nous expliquent qu'une relation harmonieuse consiste à combler les besoins affectifs de l'autre. J'ajouterais une petite nuance. **Nous voulons combler les besoins de l'autre si et seulement si c'est par élan du cœur.** À vouloir faire des choses pour l'autre contre notre volonté sincère, **nous ne faisons que cumuler ressentiment et amertume, et la relation en subira les conséquences.** C'est d'ailleurs souvent en voulant se transformer pour plaire à l'autre que nous tuons peu à peu la passion.

Résoudre un problème

La communication est importante, et la compréhension de ce qu'est l'autre l'est tout autant. Par exemple, il y a une différence fondamentale entre les hommes et les femmes pour ce qui est de la résolution de problèmes. **En général, quand un homme est face à un problème, il a besoin de calme et de silence pour trouver seul une solution.** C'est seulement après réflexion et lorsqu'il a trouvé une solution qu'il sortira de son silence pour en parler.

Au contraire, une femme a en général besoin de parler, de ventiler, d'exprimer ses tracas pour les comprendre et trouver une solution. John Gray le dit bien : « Quand l'homme recherche la solitude pour ruminer ses pensées, la femme trouve la clarté dans l'échange. » Cette notion a tellement changé de choses dans mon couple !

Avant, quand ma blonde me parlait de ses problèmes, je n'avais qu'une idée en tête : trouver une solution rapidement (en tant qu'homme). Je la voyais se frustrer encore plus et je ne comprenais pas. D'ailleurs, je pense qu'elle-même ne comprenait pas non plus sa propre réaction.

Aujourd'hui, je sais que je n'ai qu'une chose à faire quand elle arrive près de moi et qu'elle est stressée : c'est de m'asseoir et de l'écouter du mieux que je peux. À ce moment-là, elle a besoin de soutien émotif, c'est-à-dire d'écoute et de compréhension. Essayez cela la prochaine fois. Votre conjointe se détendra et se calmera au fur et à mesure que les minutes passeront. Ça se peut même qu'elle termine en vous remerciant d'avoir été si aidant, alors que tout ce que vous aurez fait est d'être là pour l'écouter.

De votre côté, Mesdames, laissez votre homme aller ruminer dans son coin. Il a besoin de solitude et de paix pour trouver la solution par lui-même. Il en ressortira plus léger quelque temps plus tard.

En résumé, le couple nous montre qui nous sommes et qui nous aimerions devenir.

Nous atteindrons notre équilibre une fois que nous aurons conscientisé et accepté nos traits masculins et féminins. Et c'est pour ça que notre couple est si précieux. **Il nous procure du bonheur tout en nous permettant de mieux nous comprendre, donc de mieux vivre avec nous-même.**

Si nous arrivons à être ce que nous sommes tout en intégrant les traits de caractère de l'autre, le résultat peut être magnifique, aussi bien pour notre couple que pour nous.

J'espère que vous êtes aussi emballés que moi à l'idée de comprendre tout ça ! Après tout, c'est bel et bien dans nos relations que nous trouvons le plus de bonheur. Je nous souhaite donc d'apprendre à mieux nous connaître pour mieux comprendre les autres autour de nous.

En bref, je trouve mon équilibre grâce à l'autre.

CHAPITRE 11

Communication non violente

« Bien que nous ayons parfois l'impression que notre façon de parler n'a rien de violent, il arrive que nos paroles soient source de souffrance pour autrui et pour nous-même. »

— **MARSHALL B. ROSENBERG**

Dans un chapitre précédent, je vous ai parlé des cinq langages de l'amour et de comment aimer et se sentir aimé. Certains d'entre vous l'auront remarqué : on se sent aimé quand nos besoins sont satisfaits.

Ainsi, si on prend l'exemple du toucher physique comme langage de l'expression amoureuse, on se rend compte que cela est peut-être **notre façon d'exprimer un besoin de douceur, de contact ou de chaleur humaine.**

Comme je l'ai expliqué dans mon premier livre, tous nos sentiments viennent de besoins satisfaits ou non.

Souvent, on ne comprend pas comment on se sent ni quels besoins se cachent derrière ces sentiments. Alors au lieu d'essayer de comprendre, on agit comme on a toujours fait : en criant pour avoir raison. Et comme le dit Marshall Rosenberg, **nos jugements sont l'expression tragique de nos besoins non satisfaits.**

Dans les moments de panique et de stress, au lieu d'essayer de communiquer sainement, nous sommes souvent pris par le désir de contrôler ou de culpabiliser l'autre. La communication non violente nous apprend à nous connecter avec nos sentiments et nos besoins, ce qui engendre directement un apaisement.

Bonbonne d'empathie

Durant cet apprentissage, la chose qui m'a sûrement le plus marqué est que **nous possédons tous une bonbonne d'empathie, une sorte de réservoir émotionnel. Si on ne s'écoute pas et qu'on ne répond pas à ses besoins, ce réservoir se vide de plus en plus.** Ainsi, plus ce réservoir est vide, moins on a d'empathie envers soi-même et envers les autres.

Pour avoir perdu mon père très jeune (je me suis coupé de moi tellement ça faisait mal de souffrir) et avoir grandi dans une famille où l'on n'exprimait pas ses sentiments, je n'ai jamais appris à me connecter à moi-même. Je crois donc que non seulement ma bonbonne était vide, mais qu'elle était carrément décrochée de moi.

Le processus semble simple. Si l'on veut remplir sa bonbonne, il suffit de se connecter avec ses sentiments et ses besoins.

Il est vrai qu'il peut être difficile d'apprendre cette technique seul. En ce qui me concerne, j'ai suivi un séminaire de deux jours qui m'a beaucoup aidé. Vous pouvez y aller seul ou en couple, et je vous garantis que ce sera très bénéfique. Je vous laisse d'ailleurs l'adresse Internet pour vous renseigner : www.groupeconscientia.com

Ces gens ne savent même pas que je les cite en ce moment. Je le fais, car je crois profondément que c'est un outil merveilleux qu'on devrait connaître dès son plus jeune âge.

Je pense que c'est en apprenant à communiquer simplement et calmement qu'on rendra ses relations de plus en plus saines.

Si vous ne voulez pas participer à ce genre de séminaire, le meilleur livre sur le sujet est *La communication non violente*, de Marshall Rosenberg. C'est un ouvrage complet qui nous guide pas à pas dans ce merveilleux processus. Vous y trouverez d'ailleurs une liste exhaustive de tous les sentiments et besoins. En ce qui me concerne, je garde toujours sur moi cette liste de sentiments et besoins, et elle m'aide à exprimer exactement la manière dont je me sens quand j'en ai besoin.

J'ai réalisé que, dans la plupart de mes relations, **mon but est de contribuer à maintenir une relation harmonieuse au-delà des divergences que nous pouvons avoir**. Croyez-moi, cette technique m'aide beaucoup.

En bref, quand je connecte avec mes sentiments et besoins, je me sens apaisé.

CHAPITRE 12

La vérité nous libère

« Parfois, la vérité nous fait mal, mais la maturité d'accepter la vérité nous fait grandir. »

- ANONYME

Depuis près d'un an, je me suis engagé dans une démarche d'authenticité. Je veux être le plus honnête possible avec moi-même et les autres. Bien entendu, c'est un apprentissage qui prend du temps. **Devenir de plus en plus transparent n'est pas un fonctionnement naturel pour moi, car oui, il m'est arrivé de mentir et d'être malhonnête, surtout envers moi-même.**

Le travail sur soi

Comme beaucoup de gens, je suis entré dans une démarche de « travail sur moi », car je souffrais. Que ce soit une maladie, un deuil ou une rupture, c'est souvent la souffrance qui nous pousse à vouloir guérir.

Dans son livre *Un homme debout*, Franck Lopvet explique que l'on fait ça dans la perspective de se reconstruire une image, pour se montrer qu'on a de la valeur. **Ainsi, durant cette période où l'on reconstruit son identité, on a besoin d'apprendre qu'on sert à quelque chose, qu'on est valable.**

Pour l'avoir vécu, je peux témoigner que ça a été un moment de ma vie où je voulais juste voir les beaux côtés de ce que je suis. Je voulais montrer aux autres à quel point j'étais une bonne personne. C'est très sain de passer par là. Puis vient la deuxième étape, qui est d'aller voir de l'autre côté.

C'est d'ailleurs ce que Franck Lopvet nous encourage à faire, soit de « **se désidentifier** » **du personnage formidable qu'on vient de reconstruire afin d'atteindre quelque chose de plus vrai**. Il nous encourage à arrêter de construire cette image de « je ne suis qu'une bonne et belle personne. »

En résumé, une fois que nous avons vu le côté lumineux de notre personne, nous voulons avoir l'honnêteté d'explorer notre côté sombre, que nous refusons souvent de voir. Et pourquoi aller voir ce côté-là ? Tout simplement parce qu'il est là, présent. Il fait partie de nous, comme tout le reste. Il fait partie intégrante de l'humain que nous sommes.

Ma vérité

En ce qui me concerne, c'est vrai que je suis gentil, généreux, patient, souriant, attentionné, à l'écoute et plein d'autres belles qualités. Mais je ne suis pas que ça. Aujourd'hui, je peux vous dire qu'il m'arrive parfois d'être impatient, frustré, radin, manipulateur, contrôlant, condescendant, égoïste et plein d'autres choses. Il me suffit de prendre quelques minutes pour repenser à beaucoup de situations dans ma vie où je ne voulais pas respecter les règles, où j'ai menti et où j'ai manqué de respect.

L'image

On vit dans un monde d'images dans lequel nous nous sommes tous mis d'accord sur le fait que notre réputation et notre paraître sont tellement importants. Je suis entré dans ce jeu. Comme je croyais que j'étais seulement une belle personne, je me suis créé une image publique du bon gars totalement blanc comme neige qui veut inspirer les autres. Mon premier spectacle et mon premier livre reflétaient l'image de ce que je croyais être. Aujourd'hui, j'ai compris que je ne suis pas juste ça et donc, ce n'est plus juste ça que je veux transmettre.

Je veux transmettre ma vérité

Je viens de raccrocher d'une conversation à ce sujet avec la productrice de mon spectacle et mon gérant. On discutait de différents moyens d'annoncer mon spectacle. Il se trouve que j'enregistre chacun de mes spectacles et que j'en extrais des moments d'improvisation avec le public que je publie sur ma page Facebook. J'ai donc suggéré d'investir de l'argent dans ces publications. Ma productrice, qui est très bienveillante, m'a gentiment dit : « C'est une bonne idée, mais je crois que c'est mieux de ne pas mettre d'argent sur les extraits où tu es grivois. Ça va envoyer un mauvais message. »

C'est exactement ça qu'on fait tous : vouloir absolument projeter une belle image aux autres.

J'ai pris le temps d'y penser et j'ai décidé que c'était une bonne idée de publiciser ces extraits. Après tout, il m'arrive de temps à autre d'être grivois, de parler de sexualité et de sacrer. Ça fait partie de moi. Alors pourquoi le cacher aux gens ? Pourquoi cacher une partie de moi ? **Les gens ont le droit de voir ma vérité. Ils ont le droit de savoir exactement ce qu'ils vont acheter comme spectacle.**

On a tous entendu les histoires de Giovanni Apollo ou de la jeune « millionnaire » Éliane Gamache Latourelle. Ces deux personnes se sont inventé de faux personnages publics pour se faire aimer et réussir. Résultat, la vérité sort et leurs carrières publiques sont détruites à jamais.

Ça me rappelle cette phrase que j'ai lu : « La vérité, c'est comme l'huile : elle remonte toujours à la surface. »

On est toujours en train de se plaindre que les politiciens sont des menteurs et des voleurs. Vous savez quoi ? La triste réalité, c'est que nous ne sommes pas mieux. Nous élisons des gens qui sont à notre image. C'est juste qu'eux ils dirigent notre pays. On préfère donc les blâmer au lieu de se regarder.

Je n'aurais pas voté pour Donald Trump, sauf qu'en regardant les débats politiques entre lui et Hillary Clinton je le trouvais authentique. Certes, il est raciste, condescendant et misogyne, mais authentique. Alors que, de l'autre côté, je percevais une Hillary Clinton dont le discours se fondait dans ce que les gens voulaient entendre. Je ressentais un manque de vérité. Je voyais un masque social qui la faisait bien paraître.

C'est d'ailleurs souvent ce qui arrive en politique : on ne vote pas pour quelqu'un qu'on aime vraiment, on vote pour celui qu'on déteste le moins.

On se plaint que ces gens tiennent rarement leurs promesses. C'est juste qu'ils font ces promesses pour gagner nos votes. Ensuite, ils reviennent à leurs envies et à ce qu'ils sont. Selon moi, la meilleure chose que l'on puisse faire est d'élever nos enfants en leur apprenant l'honnêteté et l'authenticité. Et dans vingt ans, peut-être, ils deviendront des hommes et des femmes politiques honnêtes et authentiques qui dirigeront notre pays.

Je pense vraiment qu'on gagnerait tous à aller vers plus de vérité, à arrêter de croire qu'on est juste de belles personnes. Nous sommes des êtres humains et nous sommes merveilleux dans toute notre humanité, avec nos parts de lumière et d'ombre.

Désirer

Comme moi, beaucoup de gens sont encore marqués par leur hérédité judéo-chrétienne. Exprimer certains désirs n'est pas bien vu, de peur de passer pour une mauvaise personne. Si je suis très honnête, je constate que je souhaite avoir du succès et attirer de grandes foules à mes spectacles. J'ai soif de reconnaissance. Je désire gagner de l'argent.

Au passage, je ne vois aucun mal à vouloir du pouvoir, de l'argent ou de la notoriété. Tant que ces choses servent à quelque chose de beau.

Si l'on souhaite avoir beaucoup d'argent pour pouvoir s'éclater et le partager, je ne vois que du beau à ça. Souhaiter avoir du pouvoir pour s'en servir afin de créer de belles choses est magnifique. Avoir de la notoriété est beau si l'on sait en tirer profit pour passer des messages ou donner l'exemple.

Notre vérité

Si nous avons du mal à voir ce que nous sommes, regardons nos parents. Je sais que beaucoup d'entre nous luttent pour ne pas ressembler à leurs parents. Pourtant, qu'on le veuille ou non, nous avons hérité de plusieurs de leurs traits de caractère. Par exemple, mon père avait peur de manquer d'argent. De plus, il était très axé sur la réussite, le genre de personne qui pense qu'elle sera quelqu'un juste si elle réussit socialement. J'ai hérité ça de lui. Plus on refuse d'avouer qu'on est comme nos parents, plus on le devient à notre insu. **Plus vite nous le reconnaissons, plus vite nous pourrons nous transformer.** À la manière d'un alcoolique qui a d'abord besoin de reconnaître qu'il l'est afin d'entreprendre une thérapie.

Manipulateur

On m'a souvent dit que j'étais manipulateur et, comme j'étais dans ma période « lumineuse », je l'ai longtemps nié. Puis j'ai pensé à quel point ma mère était manipulatrice. Je me rappelle encore quand on était petit et qu'elle nous demandait de lui rendre des services en nous disant que, sinon, elle tomberait malade. J'ai décidé de copier ce comportement et je suis devenu manipulateur.

Ainsi, après avoir accepté que ce trait fait partie de moi, j'ai commencé à me voir agir de la sorte. Plusieurs fois, je me suis vu manipuler des amis et je leur ai exprimé : «Tu vois, en ce moment, je suis en train de te manipuler.»

Puis vient l'étape de l'après, celle où je suis en ce moment, qui est de me voir agir de la sorte et de me demander si je veux vraiment être ça. Si la réponse est non, alors je vais arrêter ma manipulation. Toutes ces facettes sombres ont toujours fait partie intégrante de moi, mais je n'en avais pas pris conscience avant. Aujourd'hui, j'en suis conscient, ce qui me permet de choisir si je veux les exprimer ou non. **Finalement, on a juste à apprendre à accepter uniquement et simplement qui on est.** Mon amie Stéphanie le dit bien : «Plutôt que de choisir d'être différent des autres, choisissons d'être unique, comme tout le monde.»

En bref,
j'accepte
l'humain entier
que je suis.

Chapitre 13

Allons vers
ce qu'on aime

« Tous vos rêves peuvent devenir réalité si vous avez le courage de les poursuivre. »

- Walt Disney

J'ai cette pensée qui me trotte dans la tête depuis plusieurs années :

On ne choisit pas ce qu'on veut faire. Ce qu'on veut faire nous choisit.

J'ai cette croyance qu'on a tous une certaine note qui est en nous et que chacun est libre de la jouer. Quand je parle de « note », je veux dire ce qu'on est, ce qu'on aime et vers quoi on veut aller, bref, ce qui nous fait vibrer, un peu à la manière d'une note de musique dans cette magnifique symphonie qu'est la vie.

J'ai l'impression que notre vocation nous choisit et que certains événements de notre vie nous poussent à suivre cette vocation.

En ce qui me concerne, je suis convaincu que si mon père était encore en vie, je n'aurais pas eu besoin de tant de reconnaissance, je n'aurais pas eu ce besoin continuel de faire rire pour oublier ma souffrance, je ne serais sûrement pas monté sur scène pour faire rire et vous ne seriez pas en train de lire ce livre.

Un appel

Je crois qu'on a tous un appel, un chemin à prendre qui nous rendra heureux et satisfaits. Notre travail est d'écouter et de le percevoir.

Souvent, on n'écoute pas. Alors on aboutit dans un travail qui ne nous satisfait pas ou dans des relations toxiques. Et c'est parfait comme ça. Ces choses qu'on n'aime pas sont là pour nous guider vers celles qu'on aime. C'est peut-être ça qu'on a à faire : emprunter des routes qui nous mènent vers d'autres routes. Selon moi, lorsqu'on arrive à la fin de sa vie, la vraie tragédie n'est pas de s'être trompé régulièrement. **La vraie tragédie est d'avoir su intérieurement où aller et de n'avoir jamais eu le courage d'écouter son cœur.**

Ma cousine a commencé ses études de médecine à l'âge de dix-huit ans alors que ma grand-mère a entrepris les mêmes études à l'âge de trente ans. Obama a pris sa retraite à cinquante-cinq ans alors que Donald Trump est devenu président à soixante-dix.

Il arrive qu'on envie les autres. On se dit qu'on mériterait d'avoir ce qu'ils ont. On se demande ce qu'ils ont de plus que nous. Pourquoi eux et pas moi ?

Même si l'envie est humaine, il ne sert à rien de se comparer ou de vouloir précipiter sa destinée. **Nous sommes au bon endroit au bon moment.** Et même si notre situation peut paraître chaotique vue de l'extérieur, elle peut nous aider à nous diriger ailleurs, à un endroit qui sera le bon. Par-dessus tout, on aimerait emprunter le chemin rapide et facile. Je me rappelle quand j'ai commencé mon métier d'humoriste, j'avais vingt-deux ans, j'étais confiant et arrogant. Je me disais que j'allais devenir une star en trois ans. C'est là qu'un producteur français m'a dit cette phrase qui résonne encore dans ma tête : « Tu vas y arriver, mais la route est longue. »

Vous savez quoi ? Il avait raison. Non seulement avait-il raison, mais il y avait de la sagesse dans cette phrase. C'est le temps qui fait qu'on devient meilleur et qu'on s'améliore. Le temps nous apporte sagesse et maturité. Et c'est exactement cette sagesse et cette maturité qui nous guideront vers où nous sommes censés aller.

Ainsi, nous ne sommes ni en retard ni en avance sur notre vie, nous sommes pile à l'heure.

Comment ?

C'est une des grandes questions que plusieurs se posent : comment trouver ce que je veux faire dans la vie ?

Ma réponse est simple : **en m'habituant à faire juste ce que j'aime.**

Tu aimes manger des crêpes au Nutella ? Manges-en.

Tu aimes peindre ? Peins.

Tu aimes un sport en particulier ? Pratique-le.

Tu as trente-cinq ans et tu aimes jouer à la cachette ? Joues-y ! (c'est moi ça !)

Tout cela se résume simplement à aller dans la direction de ce qui nous fait du bien. À force de faire que ce qu'on aime, on va finir par faire ce qu'on aime dans toutes les sphères de notre vie. J'ai souvent entendu dire qu'on avait tous une mission sur terre. **Je crois aujourd'hui que notre seule mission est d'être qui on est et juste qui on est.**

Franck l'explique bien quand il écrit : « On devient extraordinaire lorsqu'on décide d'être soi. On a souvent tendance à suivre les autres par peur d'être seul ou pas aimé, alors au lieu de s'écouter, on se perd. Ainsi, au lieu de vivre ce qu'on veut, on suit le mouvement et on arrête de faire vibrer sa note. »

La magie opère

Si nous allons dans la direction de ce qui nous rend joyeux, la magie finit par opérer, et c'est ça que j'appelle « vibrer sa note ».

L'autre jour, mon amie Stéphanie m'a soufflé un merveilleux jeu de mots : « La magie = L'âme agit », ce qui signifie que lorsqu'on écoute son âme, l'univers nous ouvre la voie. Je n'ai qu'à penser à ma propre vie pour trouver de multiples exemples de cela.

- Il y a des années, j'ai été attiré par l'idée de venir faire un stage de fin d'études au Québec. Je devais rester six mois et j'ai eu envie d'y rester plus longtemps. Je ne savais pas pourquoi, mais j'étais bien ici. Douze ans plus tard, je peux dire que j'ai trouvé mon pays d'adoption, l'endroit où je veux vieillir et mourir.

• Quand j'ai commencé à jouer de la guitare, j'ai eu envie d'écrire une parodie de la chanson *Je l'aime à mourir* de Francis Cabrel, alors que je savais à peine jouer. Résultat, ce numéro m'a fait connaître auprès du grand public et m'a apporté plein de belles choses pour la suite de ma carrière.

• J'ai un jour eu une envie grandissante, soit celle d'écrire un livre. Je n'avais jamais pensé écrire avant, et la plupart des gens me déconseillaient de le faire. Résultat, ce livre compte parmi ceux qui se sont le mieux vendus au cours des dernières années et, surtout, j'ai reçu des centaines de messages de gens qui ont été inspirés par mes écrits.

Je pourrais continuer ainsi pendant trois pages. **C'est juste pour vous montrer qu'en ayant le courage d'écouter notre cœur, les choses se placent, la vie coule, bref la magie opère.**

Reconnecter avec l'enfant en nous

J'ai écouté une conférence de l'auteur français Idriss Aberkane sur ce sujet. Il explique que l'école est faite pour nous «formater» et que c'est bon de retrouver notre côté rebelle. Il dit : «On a beaucoup perdu en troquant notre cœur et notre intuition contre le formatage et l'excès d'accumulation de connaissances. L'école devrait viser l'épanouissement. À la place, l'école nous gave de connaissances comme on gave des oies.»

Perdre son enthousiasme est selon lui la pire des choses. Il explique qu'il préfère engager un débutant enthousiaste plutôt qu'un prix Nobel dépressif. **Il est vrai qu'à quelques exceptions près on excelle rarement dans quelque chose, à moins d'aimer profondément ce que l'on fait.** C'est en s'amusant qu'on assimile le mieux.

Combien de fois avons-nous refait un château de sable quand nous étions enfant? Combien de fois avons-nous recommencé une partie de jeu vidéo? Combien d'heures avons-nous passées à colorier? Alors que lorsqu'on fait quelque chose qu'on n'aime pas et qu'on se trompe on a envie d'arrêter. On est toujours plus productif quand on est absorbé par ce qu'on fait. Idriss Aberkane le dit très bien:

«Tout homme épanoui est productif, mais tout homme productif n'est pas forcément épanoui.»

*En bref,
je trouve ma note
et je la joue.*

CHAPITRE 14

Faire face

« J'ai appris que le courage n'est pas l'absence de peur, mais la capacité de la vaincre. »

- NELSON MANDELA

Je suis conscient qu'avoir le courage de suivre son cœur n'est pas si simple. Certains d'entre nous n'ont jamais appris à l'écouter alors que d'autres savent exactement ce qu'ils ont à faire. Le chemin que ces derniers ont à emprunter semble trop exigeant, alors plusieurs décident de ne même pas essayer.

C'est vrai que c'est facile pour moi de vous dire ça, car j'ai eu maintes fois la preuve d'avoir eu raison d'écouter mon cœur. **Sauf que je ne suis pas meilleur que les autres. J'ai juste suivi l'élan de mon cœur.**

Ce qui nous en empêche

Selon moi, le seul ingrédient qui nous empêche d'aller dans la direction de nos aspirations, c'est la peur. Avez-vous déjà fait quelque chose qui vous fait peur?

Pour ma part, j'ai plongé avec des requins, j'ai sauté à l'élastique, j'ai fait du saut en parachute. Dernièrement, j'ai confronté deux autres peurs : celle de m'engager et celle de manquer d'argent. Curieusement, elles étaient liées.

Voyez-vous, depuis que je suis enfant, j'ai peur de manquer d'argent. C'est un conditionnement qui me vient de mon père et de mon grand-père. Ainsi, j'ai toujours fait attention à mon argent. Ça ne m'a jamais empêché d'en dépenser, mais souvent avec la crainte d'en manquer par la suite.

Je suis en couple depuis plusieurs années, et ma blonde m'a souvent mis au défi de mettre notre argent en commun. Elle m'a souvent spécifié qu'elle aimerait que la maison soit à nos deux noms (vu que je la payais seul, j'estimais qu'elle était juste à moi). Je n'ai donc jamais voulu.

Et puis…

Il y a quelques mois, je suis allé passer quelques jours chez mon ami Franck dans le sud de la France. Je lui ai expliqué que ma blonde me pressait de mettre notre argent en commun. Je lui ai aussi dit que c'était un sujet de discussion qui revenait souvent.

À quoi il m'a répondu :

« **La vie te confronte à des situations de manière répétitive pour que tu règles des peurs que tu as à l'intérieur.** Au fond, tu as peur de manquer d'argent, alors tu l'accumules dans un compte pour être sûr que tu n'en manqueras jamais. En partageant ton argent avec ta blonde et en mettant la maison à vos deux noms, tu devras te regarder en face et affronter tes peurs. Tu as là une occasion de te libérer d'une illusion de ton esprit. Rappelle-toi, on attire ce à quoi on vibre. Si tu as peur de manquer d'argent, tu vas finir par en manquer. À l'inverse, en donnant accès à ton argent et en le dépensant, tu donnes un signal intérieur que tu n'as plus peur, et aussi, tu fais un pas de plus vers l'engagement envers ta blonde en partageant tes avoirs avec elle. Bref, tu es gagnant sur tous les plans, car tu te libères d'un poids énorme.»

J'ai donc changé ma façon de voir les choses. J'ai dépensé dans la joie et j'ai dit à ma blonde que, dorénavant, ce serait notre argent. Quelques mois plus tard, j'ai même décidé de mettre la maison à nos deux noms. En plus de ressentir un merveilleux soulagement, la vie m'a apporté une belle somme d'argent deux semaines plus tard, comme si le fait d'ouvrir la valve avait instantanément permis une meilleure circulation de l'argent.

J'aime beaucoup la vision de Franck, qui m'a fait remarquer que la vie est comme une pièce de théâtre : **elle nous envoie régulièrement des situations qui nous permettent de régler des choses à l'intérieur de nous et d'ainsi nous libérer de nos blocages.** En d'autres mots, j'ai l'impression que la peur nous guide et nous mène où nous sommes censés aller.

Il y a beaucoup de belles choses dans notre vie qui se trouvent de l'autre côté de la peur. C'est pour ça que **je nous encourage à faire face à chacune de nos peurs pour voir qu'elles ne sont qu'illusion.**

D'ailleurs, juste le fait d'être très honnête en mettant des mots sur nos peurs leur enlève un peu de pouvoir. Elles restent là, mais elles nous semblent déjà moins menaçantes.

Un tiret

Je dois absolument partager avec vous cette phrase d'Eckart Tolle que j'ai lue dans son livre *L'art du calme intérieur* :

« Que restera-t-il de toute la peur et de tous les désirs qui accaparent chaque jour la majeure partie de votre attention ? **Un tiret de quelques centimètres entre votre date de naissance et celle de votre décès, sur votre pierre tombale.** » Je trouve cette phrase tellement puissante et libératrice. Dorénavant, chaque fois que j'ai peur ou lorsque je stresse, je me dis : « C'est un tiret. » Ça m'aide à relativiser et à ne plus prendre tout trop au sérieux.

En bref,
je plonge dans
mes peurs.

CHAPITRE 15

Vers une meilleure condition

« Si tu ne prends pas de temps pour l'exercice et la santé quand tu es jeune, tu auras à prendre du temps pour la maladie et l'immobilité plus tard. »

- WAYNE DYER

« Prenez soin de votre corps. C'est le seul endroit où vous êtes obligé de vivre. »

- OZER KHALID

Je ne vous apprends rien quand je dis que notre santé est le cadeau le plus précieux. Demandez à n'importe quel malade ce qu'il préférerait comme cadeau et il vous répondra : « La santé ! »

Comme beaucoup d'autres choses, on a tendance à tenir la santé pour acquise. C'est sûr, tant qu'on a la santé, on se dit que rien ne peut nous arriver.

Pour avoir vu mon père mourir très jeune, je peux vous dire que la santé a une place importante dans ma vie. Autant la santé mentale que la santé physique et émotionnelle. Mon père buvait et fumait. Je ne sais pas si c'est ça qui l'a tué, plus que le stress, mais une chose est certaine : ça a fait de moi quelqu'un de très conscient de la fragilité de la vie.

Depuis plusieurs années, je suis ouvert à tout ce qui peut m'aider à améliorer ma forme physique. Dès que j'entends quelque chose qui m'interpelle concernant la santé, je vais l'essayer. Naturellement, certaines choses me vont et d'autres pas.

Un simple partage

J'ai envie de partager avec vous quelques petits trucs simples que j'ai appris en cours de chemin. Certains vous sembleront évidents, tandis que d'autres seront nouveaux pour vous. Chose certaine, chacun joue son rôle dans ma vie.

L'eau

L'être humain peut vivre beaucoup plus longtemps sans manger que sans boire. **Notre corps est conçu de 70 % d'eau. Ainsi, on recommande aux femmes de boire chaque jour au moins deux litres d'eau et aux hommes d'en boire au moins trois litres.** En ce qui me concerne, j'ai pris l'habitude de boire un litre d'eau dès mon réveil. C'est la première chose que je fais en me levant parce que ça fait au moins huit heures que mon corps n'a pas reçu de liquide. Aussi, boire de l'eau aide le corps à se réveiller.

Se laver les mains

Ce conseil peut paraître simple et stupide. Pourtant, **80 % des microbes sont transmis par les mains. C'est pour ça que j'ai pris l'habitude de me laver les mains plusieurs fois par jour.** Sachant qu'on porte nos mains au moins trois fois par heure à notre bouche, imaginons le nombre de microbes susceptibles de se rendre là ! Pas étonnant que les mains soient un grand vecteur de transmission de maladies.

Le sucre

Ceux qui me connaissent savent à quel point j'étais amoureux du sucre. Avant, quand je consultais le menu au restaurant, je commençais par regarder la liste des desserts.

Un jour, on m'a recommandé de regarder un documentaire intitulé *That Sugar Film* (offert sur Netflix). C'est un homme du nom de Damon Gameau qui se met à suivre un régime de sucre pendant 60 jours afin de montrer les problèmes de santé qui peuvent en découler. Il démontre à quel point, dans notre société, le sucre est présent dans l'alimentation et qu'on en mange beaucoup tous les jours sans même en avoir conscience.

J'ai lu plus tard que le sucre crée une plus grande dépendance que la cocaïne. Autant vous dire que ça m'a vraiment conscientisé quant à ma consommation, que j'ai d'ailleurs vraiment diminuée depuis.

J'ai compris pourquoi je consommais autant de sucre (j'en parlerai plus loin), mais une chose est sûre, je vous recommande ce documentaire pour voir les effets néfastes que le sucre peut avoir sur nous.

Douche froide

On connaît tous le concept du passage du chaud au froid quand on va au spa. La raison est simple. Ce contraste produit un choc thermique qui a pour effet de refermer les pores de la peau et de libérer de l'adrénaline. Une fois que l'adrénaline retombe, l'endorphine arrive, ce qui procure une sensation de détente dans tout le corps.

Un ami m'a confié qu'il faisait parfois ça en prenant sa douche. J'ai tellement aimé l'idée que j'ai commencé à faire la même chose. Je prends ma douche chaude pour me laver et ensuite, je mets l'eau très froide pendant 30 secondes. Cette pratique me réveille, me donne de l'énergie et me détend en même temps.

Irrigation du côlon

Pendant plusieurs années, j'ai entendu parler de la fameuse pratique de l'irrigation du côlon. Pour être vraiment honnête, ça m'a d'abord fait beaucoup rire. Comme si j'allais me mettre un tuyau dans les fesses pour m'injecter de l'eau !

Chaque fois qu'on me parlait de ça, je disais : « Pourquoi j'irais faire ça ? Mon corps est fait pour se réguler, il n'a pas besoin de ça. »

Il est vrai que notre corps est fait pour se réguler seul. En même temps, notre corps n'est pas fait pour accueillir des médicaments, de la mauvaise nourriture, de l'alcool et de la drogue.

Et puis pourquoi pas?

J'ai de nouveau entendu parler de ça quelques années plus tard. Il faut croire que j'étais rendu là, car cette fois, j'ai décidé d'essayer cette pratique. Après le premier traitement, j'ai eu l'impression qu'on venait de me retirer un caillou de cinq kilos de l'intestin. Je me sentais plus léger et tellement heureux d'avoir découvert ça.

En résumé

En me renseignant, **j'ai appris que l'intestin est notre deuxième cerveau émotif.** Certaines de nos émotions ont un effet sur notre intestin. On a tous vécu cette situation où, pour quelque raison que ce soit, on se sent anxieux au point que ça provoque des maux de ventre qui ont pour conséquence un transit accéléré. **Ainsi, il y a un vrai lien entre notre cerveau et notre intestin.**

Alors si on accumule toutes les émotions qu'on a pu vivre et qu'on pense à tout ce qu'on a pu se mettre de mauvais dans le corps, ce nettoyage me semble approprié. Ce que fait l'irrigation est simple : **elle nettoie notre gros intestin en douceur, ce qui permet de détoxifier notre organisme.** Cette pratique est d'ailleurs recommandée par plusieurs sommités mondiales en matière de santé, dont la docteure Catherine Kousmine, spécialiste des maladies dégénératives.

Il en découle plusieurs bienfaits, dont un esprit plus clair, un sommeil plus récupérateur, une meilleure absorption des nutriments, une sensation de légèreté.

Technique de la liberté émotionnelle
(*Emotional Freedom Technique, EFT*)

Cette technique créée par Gary Craig est vraiment puissante. Elle permet de libérer des émotions bloquées au fond de nous. Je l'ai pratiquée régulièrement au cours des derniers mois et elle m'a beaucoup apporté. L'EFT peut se pratiquer partout et n'importe quand. Comme ce processus serait trop difficile à expliquer ici de façon claire et précise, je vous encourage à regarder des vidéos sur le sujet sur YouTube.

Yoga

Encore peu pratiqué il y a quelques années, le yoga est aujourd'hui un phénomène planétaire. **Je m'y adonne régulièrement et ça me permet de faire du bien à mon corps tout en calmant mon activité mentale.**

Je me souviens d'une discussion que j'ai eue avec un ami de ma mère, un homme de cinquante-six ans qui n'avait jamais vraiment pris soin de lui avant cet âge-là. Alors qu'on parlait de yoga, il m'a dit cette phrase qui reste gravée dans mon esprit : « J'ai commencé le yoga il y a quelques mois et, avoir su, j'aurais commencé il y a vingt ans. »

Cette phrase dit tout. Des fois, c'est juste ça. Une phrase qui nous marque et qui nous pousse à agir.

Pour moi, ça a été celle de Wayne Dyer : « **Si tu ne prends pas de temps pour l'exercice et ta santé quand tu es jeune, tu auras à prendre du temps pour la maladie et l'immobilité plus tard.** »

J'espère que ce chapitre vous donnera envie non pas nécessairement de suivre mes conseils, mais de trouver les choses qui vous font du bien. La vie est si courte, aussi bien la vivre avec vitalité et légèreté.

*En bref,
je trouve ce qui
me fait du bien.*

CHAPITRE 16

Je te souhaite le meilleur

« On peut aider un bœuf à se lever seul, seulement s'il s'efforce lui-même de le faire. »

- PROVERBE AFRICAIN

Tous ceux qui prennent soin d'eux savent à quel point c'est bon de se sentir en forme physique.

Naturellement, comme on veut le mieux pour nos proches, on aimerait qu'ils fassent la même chose que nous. Il m'est arrivé tellement de fois de vouloir aider quelqu'un que j'aime à prendre soin de sa santé alors que cette personne ne faisait pas ce qu'il fallait pour prendre soin d'elle !

Je suis certain que si ça vous est déjà arrivé, vous avez, comme moi, éprouvé de la frustration. Au-delà de cette frustration, on se sent impuissant à voir quelqu'un se faire du mal.

Une belle leçon

J'ai un ami de soixante-deux ans avec qui je passe beaucoup de temps. On travaille ensemble, mais le lien qui m'unit à lui est bien plus qu'un simple lien professionnel. Cette personne est pour moi une figure paternelle, comme si je projetais en lui l'image du père que j'ai perdu.

C'est un homme qui, jusqu'à présent, n'a pas vraiment pris soin de lui. Il fume, ne fait pas de sport et mange souvent mal.

Je le connais depuis huit ans et je l'ai vu arrêter de fumer au moins trois fois. Chaque fois, je l'ai encouragé. Et puis il a toujours fini par recommencer. Dernièrement, il a décidé d'arrêter à nouveau de fumer. Je l'ai encouragé. Je l'ai même encouragé à s'inscrire à la salle de sport pour aller marcher sur le tapis roulant quand il aurait envie de recommencer. Finalement, il n'y est jamais allé et il a recommencé à fumer. Je me suis senti frustré, déçu et triste. J'ai réalisé que ces émotions me replongeaient dans une période de ma vie avec un père qui ne prenait pas soin de lui et qui a fini par mourir.

Et puis c'est là que ma blonde a partagé avec moi sa belle sagesse. Elle m'a gentiment rappelé qu'on ne peut pas forcer les gens à faire ce qu'ils ne veulent pas faire. Elle m'a dit ces mots qui résonnent encore : « La seule chose que tu peux faire, c'est de l'aimer et de profiter du temps que vous passez ensemble. »

Je trouve cette réflexion très juste. **Si les gens ne veulent pas, on ne peut vouloir pour eux. Après tout, nous sommes tous libres de faire ce que nous voulons de notre vie.**

D'ailleurs, j'ai vu que j'avais appris la leçon, car quelques semaines plus tard, je me suis retrouvé dans la même situation avec un autre ami. Même profil, mais beaucoup plus jeune. Beaucoup de gens de son entourage m'ont fait part de leur inquiétude à l'égard de sa santé. Ils m'ont expliqué qu'ils avaient tenté de lui parler, mais que rien n'avait changé.

Je leur ai dit exactement ce que ma blonde m'avait rappelé quelques semaines auparavant. Malgré cela, ils m'ont demandé si je pouvais aller lui parler. J'ai accepté.

Voici notre échange :

– « Je sais que beaucoup de gens s'inquiètent à ton sujet. Je sais aussi qu'ils sont tous venus te l'exprimer. Et je crois que tu ne changes pas, car tu ne veux pas. Tu es bien comme ça. Le fait de mal manger, de ne pas faire de sport et d'avoir un surplus de poids ne te dérange pas, ai-je raison ?

– Exactement. Je suis bien comme ça.

– Je comprends. Après tout, c'est ta vie et tu es libre d'en faire ce que tu veux. Maintenant, sache que les choix que tu fais aujourd'hui ont une conséquence. Aujourd'hui, c'est un surplus de poids, mais un jour, ton cœur risque de lâcher. Peut-être pas demain, mais si tu continues de faire le choix de fumer et de mal manger, un jour ton corps ne pourra plus te suivre. Si tu es bien avec cette idée, alors tout est cool. »

On ne peut forcer les gens à changer même si on est persuadé qu'ils devraient vraiment le faire.

La souffrance

C'est souvent la souffrance qui nous fait changer de direction. Nombreux sont ceux qui ont vécu ce moment où l'envie de vomir monte après avoir trop bu. C'est précisément à ce moment-là qu'on se dit qu'on ne recommencera pas. Or, deux mois plus tard, on refait la même chose. Le plaisir de boire était encore plus fort que celui de souffrir. Et pourtant, cette souffrance est nécessaire. Elle est nécessaire jusqu'au moment où on ne veut plus souffrir. L'être humain est ainsi fait.

La preuve en est que c'est souvent après une maladie grave ou un accident que nous décidons de faire des changements dans notre vie. C'est comme si on avait besoin de frapper un mur pour se réveiller. **En d'autres mots, la souffrance nous aide à devenir plus conscients.** Le fait est que si nous vivons une situation où un proche ne prend pas soin de lui et que ça nous inquiète, la seule chose à faire est de lui témoigner notre inquiétude, lui dire qu'on est là au besoin, et ensuite de l'aimer.

Et puis, au fond, je pense que chaque personne a le pouvoir de changer. C'est juste que chacun le fait (ou non) à son rythme. Je peux juste prendre soin de moi et peut-être que les autres s'en inspireront en voyant à quel point c'est bénéfique.

En bref,
je t'aime et je
te souhaite
le meilleur.

CHAPITRE 17

Qu'est-ce que j'ai fait pour mériter ça?

« Tu ne comprendras jamais la peine que tu as causée à quelqu'un jusqu'à ce qu'on te fasse la même chose. C'est pour ça que je suis là. »

- LE KARMA

On a tous entendu parler de l'histoire du célèbre producteur américain Harvey Weinstein qui a été dénoncé par des dizaines de femmes pour harcèlement sexuel. S'en est suivi un vrai mouvement de dénonciations à l'échelle mondiale. Au Québec, nous avons vécu la même chose, entre autres avec Gilbert Rozon qui a été accusé par une vingtaine de femmes d'abus de pouvoir et de viol.

Comme je fais partie de la production Juste pour rire, je me suis demandé ce que je devais faire. Fallait-il partir? Attendre que la poussière retombe? C'était la première fois qu'on vivait pareille situation, personne ne savait quoi faire.

Je dois avouer que, pendant un mois, j'ai pensé à partir. L'idée que le groupe Juste pour rire soit vendu et se dote d'une nouvelle direction m'insécurisait. Et puis j'ai attendu, j'ai laissé la poussière retomber. Peu à peu, les choses ont fini par se calmer. Tout a fini par rentrer dans l'ordre.

Au moment où j'ai eu à prendre ma décision, à savoir si je restais ou pas, une question est montée en moi : **« Si je pars maintenant, qu'est-ce que ça fait de moi en tant qu'être humain ? »** Ces gens m'ont aidé et soutenu afin que je devienne l'artiste que je suis aujourd'hui. Quitter le navire au moment où ils ont un genou par terre me semblait injuste. Je suis donc resté.

En parlant à mon ami Franck des semaines plus tard, il m'a dit que ça en disait long sur l'humain que je suis : « Ça montre que tu n'es pas un gars juste accroché à l'argent que t'aurais pu en retirer, mais bel et bien un humain qui reste quand le bateau risque de couler. »

Il m'a dit ces mots que j'avais souvent entendus et qui ont particulièrement résonné à ce moment-là : **« Ce que tu fais aux autres, tu te le fais à toi. Si tu abandonnes des gens quand ils sont fragilisés, tu vivras l'abandon quand ce sera ton tour. »**

Ainsi, quand il nous arrive quelque chose de déplaisant, la question n'est pas : « Pourquoi ça m'arrive ? », mais plutôt : « Qu'est-ce que j'ai fait pour que ça m'arrive ? »

Bien entendu, ce principe fonctionne aussi dans l'autre sens : à faire de belles actions, on récolte de belles choses.

Il y a quelque temps, je suis allé au cinéma avec mon ordinateur dans un sac à dos. En quittant la salle après le film, j'ai oublié mon sac que j'avais mis à mes pieds. J'étais à peine sorti de la salle qu'un monsieur courait pour me rattraper et me le remettre. Cet homme aurait pu avoir un MacBook Pro gratuit, mais il me l'a rendu. Faut croire que j'ai dû faire quelque chose de bien pour vivre ça!

Apprendre à donner

Donner et recevoir sont deux énergies identiques. Je crois fermement qu'on reçoit ce que l'on donne, tant et aussi longtemps qu'on le fait avec sincérité, que ce soit de l'argent, un sourire, un cadeau ou n'importe quoi d'autre.

Selon moi, **tout ce qui compte vraiment est l'intention avec laquelle on donne, car le retour sera proportionnel à l'intention avec laquelle on a donné.**

En apprenant à donner, on apprend à se départir de certaines choses, on fait plaisir aux autres et, surtout, on se fait du bien.

Apprendre à recevoir

Dans le passé, j'avais du mal à recevoir. Le nombre de fois où quelqu'un a voulu m'inviter au restaurant et je disais: « Non, tu rigoles, c'est moi qui t'invite. » Il y avait une partie de moi qui se sentait mal à l'aise à l'idée de recevoir. J'ai appris à recevoir en 2012. Je suis allé manger au restaurant avec un homme d'affaires extrêmement riche qui savait que ma situation financière était assez précaire.

Le fait est qu'à la fin du repas j'ai demandé à cet homme : « Est-ce que tu me permets de t'inviter ? » Dans pareille situation, un homme aussi nanti aurait pu répondre : « Tu rigoles ? C'est moi qui t'invite. » Ce n'est pas ce qui s'est passé. Il m'a regardé avec un grand sourire en disant : « Avec grand plaisir. »

Mon niveau social n'avait pas d'importance. Cet homme a juste reçu ce que je lui offrais en toute sincérité. **Sans le savoir, il m'a appris à recevoir.**

Aujourd'hui, peu importe ce qu'on m'offre, je pars du principe que les gens qui donnent ont vraiment envie de donner, alors je me permets de recevoir ce présent avec une belle ouverture sans jamais avoir une once de culpabilité ou de malaise.

Personne ne vaut plus qu'un autre

C'est vrai que certains ont plus de talent, plus d'argent ou plus de pouvoir, mais notre essence reste la même. Comme dit souvent mon oncle : « Nous sommes tous des êtres humains qui vont aux toilettes de la même façon. » Et nous sommes tous régis par les mêmes lois de la gravité et d'attraction.

L'argent, le pouvoir et la célébrité sont trois facteurs qui ont la faculté de nous faire oublier qui nous sommes et comment nous devons nous comporter. C'est facile de commencer à se sentir important et de penser qu'on vaut mieux que les autres. C'est alors qu'il devient primordial de se regarder agir.

Pour citer une phrase que je trouve merveilleuse :
« **C'est agréable d'être important, mais c'est plus important d'être agréable.** »

*En bref,
ce que nous
faisons aux autres,
nous nous le
faisons à nous.*

CHAPITRE 18

L'esprit, notre plus beau moteur

« Si tu peux le rêver, tu peux le faire. »

- WALT DISNEY

« Le corps réalise ce en quoi l'esprit croit. »

- ANONYME

D'aussi loin que je me souvienne, j'ai toujours été assez contrôlant. Je voulais contrôler mes relations, ma carrière et tout le reste.

En vieillissant, j'ai appris à lâcher prise. J'ai accepté qu'il y a beaucoup de choses que je ne peux pas contrôler. Aujourd'hui, je me dis que je n'ai d'emprise que sur moi. Je peux en effet apprendre à contrôler mes pensées, mes agissements, mes paroles, mes habitudes et mes valeurs.

Gandhi a déjà dit :

- Garde de bonnes pensées, car tes pensées créent tes agissements.

- Garde de bons agissements, car tes agissements créent tes habitudes.

- Garde de bonnes habitudes, car tes habitudes créent tes valeurs.

- Garde de bonnes valeurs, car tes valeurs créent ton destin.

Et quelle est la tour de contrôle de tout ça ? Notre esprit. Quand on y pense une minute, tout ce qui existe est d'abord né dans l'esprit de quelqu'un. Tout ce que nous voyons autour de nous a d'abord été imaginé. **Tout, absolument tout, part de nous.**

Tout ce qui fait partie de notre vie, en bien ou en mal, a été créé par nous. Regardons une minute autour de nous. Notre conjoint, nos enfants, notre maison, notre voiture, nos amis, nos animaux, notre travail, notre compte en banque et notre santé sont tous les fruits de notre création. On a permis à ces choses ou à ces gens d'être là ou d'être dans l'état où ils sont.

Mon amie Stéphanie m'a déjà dit : « Tout ce qui t'entoure est le reflet de ce que tu es. Tout ce qui gravite autour de toi est une partie de toi. » La qualité de nos relations, l'éducation de nos enfants, l'architecture de notre maison et l'état de nos plantes sont tous des extensions de ce que l'on est.

Comment utiliser notre esprit ?

Si on se met à croire en quelque chose, ce quelque chose a de fortes chances de se produire. Si l'on s'entête à croire que les choses sont difficiles, les choses seront difficiles. À l'inverse, si on s'entraîne à croire qu'elles seront faciles, elles le seront.

Si, dans notre passé, on nous a dit encore et encore qu'on ne pourrait pas faire telle ou telle chose, notre subconscient a été formé à croire que cette chose était impossible. On admettra donc fort certainement notre impuissance.

Ce qui est fabuleux, c'est que notre subconscient ne voit pas la différence entre ce qui est vrai et ce qui ne l'est pas. Que l'on nourrisse dans notre subconscient une image que l'on voit ou une image que l'on imagine, tant et aussi longtemps qu'on va ressentir l'émotion qui s'en dégage, elle sera réalité.

Par exemple, le subconscient est l'endroit où tu conserves le sentiment associé à ta réussite. Alors ton subconscient croit en ce succès afin de le créer.

Il suffit d'entraîner son esprit à voir la vie qu'on voudrait tout en ressentant l'émotion que ça suscite. Il m'arrive souvent (quand je médite) de fermer les yeux et d'imaginer la personne que j'aimerais devenir et les comportements que j'aimerais avoir. Il suffit d'imaginer une création déjà finie avec l'émotion qu'elle suscite pour qu'elle apparaisse.

Je suis la preuve que ça marche. Chaque fois que je crée quelque chose, j'imagine la fin. Je vous parlais plus tôt de la chanson composée avec Alex Nevsky, mais j'ai plein d'autres exemples. Le fait est que, peu importe ce que j'entreprends, je vois la finalité avant tout. Que ce soit un spectacle d'humour, des capsules Web, un livre ou une chanson, tout existe déjà dans mon esprit.

Ça va peut-être vous paraître bizarre, mais c'est en imaginant dans mon esprit ce que je veux faire comme étant déjà accompli que je peux ramener l'information dans le moment présent pour créer. Picasso a déjà dit : « Quand je vais dans mon atelier pour peindre, je laisse mon corps à la porte, et je ne permets qu'à mon esprit d'être là. » Une fois de plus, je vous le dis, notre subconscient ne distingue pas le réel de l'imagination. Tout ce qu'on imagine, on peut le créer.

Pourquoi ça ne marche pas ?

Beaucoup de gens me disent : « Ce n'est pas vrai, Jérémy, on ne peut pas créer tout ce qu'on veut. » C'est vrai. **Ce processus fonctionne uniquement si ce que nous voulons faire ou être nous paraît naturel.** Par exemple, si je décidais demain de devenir astronaute ou champion du monde de sprint, ça ne serait pas naturel pour moi. Si ce n'est pas naturel, je ne peux pas le ressentir encore et encore. Et comme je ne peux pas le ressentir encore et encore, mon subconscient me mettra des bâtons dans les roues.

Si c'est naturel

Que ce soit faire rire les gens, écrire des livres, donner des conférences ou faire de la mise en scène, toutes ces choses sont très naturelles pour moi. Elles me paraissent évidentes et presque simples à accomplir.

Quand je fais quelque chose qui me paraît naturel et que je suis capable d'en voir la finalité, tout devient facile et les choses coulent. Je n'ai rien à forcer dans ces moments-là. Je suis dans ce qu'on appelle « le flot », c'est-à-dire un état qui fait que les heures qui s'écoulent me semblent des minutes. Je suis totalement absorbé par ce que je fais, et l'inspiration me vient naturellement.

Que ce soient Neil Armstrong, Mozart ou Usain Bolt, ils ont tous accompli ce qui leur semblait naturel. Je ne pense pas que ce soit plus difficile d'aller sur la Lune que d'écrire des symphonies. Je ne crois pas non plus que réaliser des exploits soit plus difficile que de se lever tous les matins pour tenir sa boulangerie. En fait, je pense que rien ne peut se comparer. Toutes ces choses-là sont tout simplement naturelles pour les gens qui les font.

Il n'y a pas de limites, si c'est naturel. En fait, je crois que toutes les limites présentes dans notre vie sont là, car on a décidé qu'elles existaient. Je le redis. Notre imagination est notre plus grand pouvoir. Nous avons la possibilité de maîtriser notre esprit. Nous avons la possibilité de changer notre vie.

En bref,
mon esprit
contrôle ma vie.

CHAPITRE 19

Plaisir à court terme ou bonheur à long terme

« Le destin n'est pas une question de chance, c'est une question de choix. »

– WILLIAM JENNINGS BRYAN

Avons-nous un chemin tracé ou pouvons-nous influencer le cours de notre vie par nos choix ? Naturellement, toutes les réponses sont bonnes, car rien n'a été prouvé. C'est selon les croyances de chacun. Certains pensent que tout est écrit d'avance, alors que d'autres pensent que tout peut changer.

En ce qui me concerne, je crois en une combinaison des deux : **on a un certain destin et on est libre de choisir comment le vivre.**

Voyez-vous, mon père est mort quand j'avais huit ans. À cet âge, le concept de la mort était très flou pour moi. Je n'ai pas pleuré sur le moment, mais quelques années plus tard, j'ai même eu des moments de colère envers mon père. Je criais : « Pourquoi es-tu parti ? »

Une chose est certaine. Si mon père était encore en vie, je n'aurais pas eu besoin de tant de reconnaissance. Je ne ressentirais pas ce besoin continuel de faire rire pour oublier ma souffrance. Je ne serais probablement pas monté sur scène et vous ne seriez pas en train de lire ce livre.

D'un autre côté, la qualité de notre vie dépend en grande partie de nos choix.

On blâme facilement les autres pour tout ce qui nous arrive. La vérité est que chacun de nous est responsable de sa vie, que nous le voulions ou non. Chacun de nos choix, aussi petit qu'il soit, a un effet sur notre vie.

Je vous parlais plus tôt de cet ami qui m'est cher et qui ne prend pas soin de lui. On parle souvent ensemble de l'importance des choix que nous faisons, et son discours est :

« Je veux profiter de la vie. Manger gras, fumer et boire sont des façons pour moi de profiter de ma vie. J'aurai vécu en me faisant plaisir. »

Selon moi, et vous allez sûrement me trouver intense, ce discours est celui de quelqu'un qui ne veut pas vraiment vivre.

Mon père mangeait mal, il fumait, buvait et travaillait beaucoup. Tous ces choix l'ont conduit à une mauvaise santé qui a causé sa mort.

Ne pas vouloir prendre soin de son corps et le nourrir de substances qui sont nuisibles à la santé démontre selon moi une envie inconsciente de se saboter.

Tous ceux qui font attention à leur santé savent à quel point la vie est plus belle quand on est en forme.

Il suffit de demander à tous ceux qui ont arrêté de fumer ou qui ont perdu du poids. Ils vous diront que leur énergie et leur motivation ne sont plus les mêmes. Ce qui est merveilleux, c'est que plus on goûte à la santé, plus on en veut.

Bien entendu, il y aura toujours des gens pour nous tenir le fameux discours : « Il y a des gens qui fument, qui boivent et qui mangent mal et qui vivent vieux. Alors que d'autres prennent vraiment soin d'eux jusqu'au jour où ils apprennent qu'ils ont un cancer. »

C'est vrai.

Cela dit, on est tous d'accord pour dire qu'en proportion les gens qui prennent soin d'eux vivent une meilleure vie que ceux qui ne prennent pas soin d'eux. Peut-être que je vais avoir un accident de voiture dans trois jours ou une crise cardiaque dans deux semaines, mais une chose est certaine : je veux vivre en santé jusqu'à ma mort.

Aller à droite ou à gauche

Ma psychologue m'a souvent répété que, peu importe ce qu'on vit, **on a le choix d'aller à droite ou à gauche.**

Aller à droite, c'est choisir la santé, la compassion, la gentillesse et toutes les autres valeurs qui sont porteuses de fierté, de joie et de satisfaction.

Aller à gauche, c'est choisir tout ce qui fait que nous éprouvons de la frustration, de la déception et de la culpabilité, bref ce qui fait partie de notre ego.

Plaisir à court terme ou bonheur à long terme

Je me souviens d'un soir alors que j'étais en déplacement dans l'est du Québec pour aller tourner une publicité. Ce soir-là, même si on savait qu'on avait une grosse journée de travail le lendemain, on a décidé d'aller boire une bière. Je peux vous assurer qu'on a eu beaucoup de plaisir ! Trois heures plus tard, j'étais saoul et je suis rentré me coucher. Résultat, j'ai très mal dormi et j'ai passé tout le lendemain à tenter de me remettre de la veille pendant que je tournais. Je me suis senti frustré et déçu d'avoir fait ce choix.

Maintenant, prenons la même situation, mais cette fois, envisageons-la différemment.

Mon ami me propose d'aller boire une bière. J'arrive au bar, j'en bois une et je décide de retourner me coucher. Je passe une bonne nuit de sommeil et je me réveille tôt le lendemain matin pour aller faire de l'exercice à la salle de sport. Résultat, je me sens en forme, énergisé, fier de moi et prêt à être productif toute la journée. **La différence entre les deux : un choix.**

Le Trou du cul

La meilleure image qui me vient pour illustrer mon propos est celle du fameux jeu de cartes qu'on appelle le Trou du cul.

Pour ceux qui ne connaissent pas ce jeu, les règles sont simples. Chaque joueur a une dizaine de cartes entre les mains. Le but du jeu est de se débarrasser de toutes ses cartes. Chaque personne a un titre : président, vice-président, neutre, vice-trou du cul et trou du cul. Au début de chaque partie, la règle veut que le président donne ses deux cartes les moins bonnes au trou du cul et que ce dernier donne ses deux meilleures au président. Cela veut dire que si je suis président, juste le fait de donner deux mauvaises cartes et d'en recevoir deux excellentes vient de modifier radicalement mon jeu.

Au même titre que de choisir de boire quatre bières et de me coucher tard au lieu d'en boire une seule et de me coucher tôt. Ça change complètement ma journée du lendemain.

Une fois de plus, la différence entre les deux : un choix.

Ainsi, chacun de nos petits choix a le pouvoir de nous apporter quelque chose de beau ou quelque chose de laid.

En général, les choix de gauche sont des choix qui nous apportent de la satisfaction à court terme. L'alcool, le sexe et les drogues sont de bons exemples. Les choix de droite sont des choix qui nous apportent du bonheur à long terme.

J'ai longtemps décidé d'aller à gauche en succombant aux plaisirs de la chair, du sucre ou de plein d'autres choses très attirantes. Aujourd'hui, je fais de moins en moins ces choix-là, car je sais où ils me mènent. Je sais maintenant que chaque bon choix me procure un peu plus de bonheur. Je sais donc qu'à force de multiplier ces bons choix j'accède à une vie pleine de santé et de joie.

En bref,
j'ai le choix entre
le plaisir à court
terme ou du
bonheur à
long terme.

CHAPITRE 20

Ouvert

« Garde la fenêtre de ton esprit ouvert, car c'est par là que tu dois voir le monde. »

- GEORGE BERNARD SHAW

« Le plus grand danger n'est pas que notre but soit trop élevé et que nous le manquions, mais qu'il soit trop bas et que nous l'atteignions. »

- MICHEL-ANGE

Je vous avoue que j'ai souvent été fermé dans ma vie. Que ce soit dans ma vie professionnelle ou même personnelle. Une vraie tête de cochon qui n'en faisait qu'à sa tête.

Toutefois, à maintes occasions, la vie m'a prouvé que j'avais tort. Si vous saviez le nombre de fois où j'étais fermé à quelque chose pour finalement accepter cette chose et ensuite réaliser à quel point elle était plaisante.

On ne sait jamais ce que chaque situation ou chaque personne peut nous apporter ou nous faire vivre.

Plus je m'assagis et plus je réalise à quel point rester ouvert est bénéfique.

Comment mon ouverture m'a élevé

S'il y a bien une chose à laquelle je suis extrêmement ouvert, c'est ma santé. Depuis que ma santé est devenue ma priorité, je me suis ouvert à tout ce qu'on pouvait me proposer : homéopathie, hypnose, thérapie énergétique, yoga, méditation, visualisation, etc.

Avant, toutes ces choses me paraissaient bizarres, stupides et même drôles, alors qu'aujourd'hui si vous saviez comme je suis reconnaissant de m'être ouvert à elles. Elles m'ont toutes apporté du beau, et ce, dans tellement d'aspects de ma vie.

Iridologie

Prenons un exemple récent. Une amie m'a parlé d'un iridologue (maintenant à la retraite) qu'elle me conseillait d'aller voir. Je me suis d'abord renseigné à savoir ce que l'iridologie signifiait. Ce que j'ai découvert m'a convaincu. On définit l'iridologie comme la science de l'iris.

L'iris est le reflet de tout ce qui se passe dans notre corps. Ainsi, cette science permet de connaître la condition interne du corps par l'analyse de notre iris. Grâce aux traces présentes dans nos yeux, on peut déterminer dans quel état se trouvent nos différents organes. Ainsi, l'analyse de notre iris permet de déceler des problèmes tels que l'inflammation, les lésions, l'irritation, la contamination, l'engorgement ou les infections*.

* www.nelsonlabbe.com

Après un an sur la liste d'attente (le bouche-à-oreille doit être bon), j'ai eu un rendez-vous chez cet iridologue et j'ai adoré.

Il m'a demandé pourquoi je venais. Je lui ai cité plusieurs raisons, dont cette fatigue chronique que je ressentais depuis plusieurs années. Il a pris une photo de mes yeux pour évaluer ma condition. Entre autres, il m'a dit que j'avais une marque dans la région qui représente la glande thyroïde. Vous imaginez mon soulagement ! J'ai enfin compris d'où venait cette fatigue ! Il m'a demandé si j'avais parfois des rages de sucre, ce à quoi j'ai répondu : « Je suis une bibitte à sucre. » Il m'a répondu que j'en mangeais justement pour me donner un *boost* d'énergie en raison de ma fatigue. Il m'a ensuite conseillé des produits naturels que je devais prendre pendant quelques mois afin de régénérer ma thyroïde.

Bref, je vous passe le reste, mais ma santé s'est considérablement améliorée depuis. Je ne suis plus fatigué, et ma relation au sucre est devenue un choix restreint et non une rage.

Ce que j'en comprends est vraiment intéressant.

En fait, certains événements de notre vie (ayant une grosse charge émotive) ont un effet direct sur l'intestin, qui lui-même a un effet sur les différents organes de notre corps. L'idée de ce genre de traitement est de guérir l'organe en question ainsi que l'intestin afin de résoudre notre problème de santé.

Gingembre

Dernièrement, ma blonde a lancé l'idée que ce serait bon de boire un *shooter* de jus de gingembre par jour. Après tout, j'ai juste entendu de belles choses sur les bienfaits du gingembre. Il aide à maintenir la flore intestinale en bon état et à digérer les graisses. Il possède également des propriétés anti-inflammatoires. Ainsi, il paraîtrait qu'un *shooter* par jour diminue radicalement les mauvaises bactéries et protège des maladies. Alors je me suis dit pourquoi pas ?

Comme je viens tout juste de commencer à boire ce jus de gingembre, je ne peux vraiment pas témoigner de ses bienfaits, mais qui sait, cela peut vous donner l'idée d'essayer vous aussi.

Le fait est que j'ai décidé depuis plusieurs années de m'ouvrir à différentes avenues pour bonifier ma santé et que j'ai vu ma vie s'améliorer chaque fois un peu plus.

Professionnellement

Si vous saviez le nombre de gens qui ont trouvé absurde que je déménage au Québec en espérant y vivre de mon métier. Pourtant, je me suis ouvert à la possibilité qu'un Français au Québec, ça pourrait fonctionner.

Quand j'ai sorti mon premier livre, on me répétait souvent : « Tu n'as pas peur de sortir de ta zone de confort ? » Si je saute en parachute sans parachute, là je sors de ma zone de confort, mais écrire un livre n'est pas du tout inconfortable, c'est naturel.

Je crois fermement que les seules limites qui existent sont celles que je m'impose.

Et c'est pour ça qu'aujourd'hui je décide de ne pas être seulement humoriste, mais également écrivain, metteur en scène, créateur de contenu, animateur de télé, conférencier, chanteur, réalisateur et acteur.

C'est juste en gardant un esprit ouvert que j'invite le potentiel de créer toutes ces choses.

Dans son livre audio *Applying the 10 Secrets for Success and Inner Peace*, Dr Wayne Dyer le résume bien quand il dit : « Un esprit qui est ouvert à tout est un esprit ouvert aux miracles. »

Ici, je dirais : « **Ouvrons notre cœur, et la magie opérera.** »

En bref,
je reste ouvert.

Chapitre 21

Le cadeau du présent

*« L'avenir nous tourmente, le passé nous retient,
c'est pour cette raison que le présent nous échappe. »*

- Gustave Flaubert

On a tous entendu mille fois la phrase : « Vis le moment présent. »

Mais ça veut dire quoi ? Comment je pourrais être autre part que dans le présent ?

Et pourtant…

Le meilleur exemple qui me vient à l'esprit quand je pense à une personne qui n'est pas dans le présent, c'est ma mère. Toutes les fois où on est à table en train de manger en famille, elle débarrasse alors qu'on a à peine fini. On lui dit tous de se rasseoir et de profiter de ce moment en famille, mais elle n'en fait qu'à sa tête. Elle est souvent dans l'après. Peut-être parce qu'elle veut que tout le monde soit bien ou parce qu'elle a peur de l'avenir ou encore parce qu'elle ne trouve pas le présent très agréable. Elle est la seule à pouvoir répondre.

Je me souviens d'un jour où je lui ai dit : « Maman, vis le moment présent », ce à quoi elle m'a répondu : « Chacun le vit comme il veut. » **Est-ce qu'il y a d'autres façons de vivre le moment présent que d'être vraiment dans le présent ?** Le meilleur ouvrage sur le sujet reste *Le pouvoir du moment présent*, d'Eckhart Tolle. Je l'ai lu il y a quelques années en pensant comprendre. En réalité, je n'avais rien compris.

Être ou ne pas être

D'après Eckart Tolle, c'est notre incapacité à nous arrêter de penser qui nous empêche d'être dans le présent. **Notre mental est tel un hamster dans une roue qui ne cesse de courir, et comme la plupart d'entre nous vivent ça, nous considérons que c'est normal et sain.** Je fais partie de ces gens-là. Mon esprit s'emballe, mon esprit s'agite. Et c'est normal, car c'est moi qui le lui permets. Je lui permets de repasser cent fois le même disque pendant des mois.

Je ne vous apprends rien quand je dis que ce qui nous empêche d'être en paix, c'est notre souffrance intérieure. Et d'où vient cette souffrance ?

En grande partie, de nos pensées

En effet, plusieurs études ont démontré que l'être humain a en moyenne entre 60 000 et 80 000 pensées par jour et que la plupart sont négatives et surtout répétitives.

En lisant ce guide sur le moment présent, j'ai compris qu'une des façons de nous libérer de notre souffrance est de nous libérer de notre mental.

Si l'on s'attarde au côté rationnel des choses, je trouve que ça a beaucoup de sens. Après tout, notre mental émet nos pensées, puis nos pensées créent nos émotions et enfin nos émotions créent notre état d'être. Ainsi, si je permets à mon esprit de ressasser la même pensée frustrante, je vais souvent ressentir de la frustration.

Je ne dis pas ici de repousser toutes nos pensées. Je parle ici d'apprendre à maîtriser nos pensées compulsives. Eckart Tolle le dit bien : « Le seul pas crucial à faire est d'apprendre à se dissocier du mental. »

Que faire ?

D'après ce que j'en comprends, la meilleure réponse est d'observer. Observer notre mental crier.

En d'autres mots, nous pouvons nous entraîner à penser à ce que l'on pense. Par exemple, si j'ai une pensée compulsive concernant mon patron, au lieu de l'entretenir et de créer un dialogue mental interminable, je peux me raisonner en me disant : « Attends une seconde, pourquoi je pense à ça ? En ce moment, ça ne mène à rien. Je vais avoir une discussion avec lui à ce sujet et tout ira bien. »

C'est lorsqu'on entre dans ses pensées et qu'on s'engage dans un dialogue avec elles que la souffrance surgit. Naturellement, tout ça est souvent inconscient vu qu'on a toujours fonctionné ainsi.

Nos conditionnements

Toutes ces pensées viennent de notre passé et de nos conditionnements. La preuve, deux personnes vivant la même situation réagiront différemment. Prenons par exemple deux personnes dans une même voiture qui se font couper la route subitement par un autre automobiliste. L'une pourra se mettre en colère au point de descendre du véhicule pour aller se battre, pendant que l'autre restera calme et aura juste ressenti de la peur pendant un instant. Même situation, et pourtant deux réactions différentes.

Peut-être que la colère de la première personne s'est réveillée parce qu'elle a déjà vécu une situation similaire dans sa vie et que quelqu'un qu'elle aimait a été blessé, tandis que l'autre personne n'a aucune référence négative à ce sujet.

Ainsi, on ne réagit pas à ce qui se passe, mais à notre conditionnement passé.

Nos boutons

Chaque situation blessante vient appuyer sur un bouton intérieur. On peut voir ça comme une douleur qui a été ressentie dans le passé et qui n'a pas encore guéri. Eckart Tolle appelle ça « un corps de souffrance ». Ainsi, dès qu'une situation se produit et que nous ressentons de l'impatience, de la colère, de la frustration ou toute autre émotion du genre, nous savons qu'un corps de souffrance est en train de remonter à la surface.

À ce moment-là, nous avons deux choix : le nourrir ou le guérir.

Si nous choisissons de le nourrir, on le fait simplement en rentrant dans l'émotion, ce qui se traduit souvent par le besoin d'avoir raison, par l'envie de blesser, de crier, de se justifier ou d'accuser. **En agissant ainsi, nous nourrissons et entretenons cette souffrance.** En réalité, quand ça arrive, c'est souvent inconscient. Alors, nous ne nous contrôlons plus et nous laissons l'émotion devenir nous. C'est pour ça qu'on a souvent dit ou entendu quelqu'un dire : « Je ne sais pas ce qui m'a pris, j'étais hors de moi. » **On devient littéralement l'émotion.**

Ça se passe toujours de la même façon. Le conditionnement passé refait surface, il se nourrit, puis repart jusqu'au prochain événement. Et cela se produit encore et encore, jusqu'au jour où on décide de le guérir.

Le guérir

Quand une situation de ce genre se produit, c'est l'occasion de guérir ce conditionnement. Comme le dit bien Eckart Tolle, « Le corps de souffrance (souvent inconscient) craint une seule chose : la lumière de notre conscience. **L'inconscience le crée, la conscience le métamorphose.** » En fait, c'est notre peur inconsciente d'affronter la douleur qui garde un conditionnement en vie.

Quand une émotion monte, on peut rester assez vigilant pour ne pas entrer dedans. On fait juste l'observer et la ressentir. Bien entendu, une fois que l'émotion est passée, il se peut que nous ayons à agir pour améliorer la situation que nous vivons. Mais nous le ferons alors sans que l'émotion nous aveugle.

Ainsi, au lieu de réagir à l'émotion et de la nourrir, on la ressent et on agit.

Eckart Tolle dit qu'une fois que nous aurons assimilé ce principe de la présence **nous aurons à notre disposition le plus puissant des outils de transformation.**

Pourquoi des thérapeutes ?

Certains diront qu'ils ne sont pas utiles. **Quant à moi, les bons thérapeutes sont des accélérateurs évolutifs.** Au lieu d'attendre que la vie nous apporte des situations qui vont nous faire vivre des émotions, nous allons directement les faire remonter à la surface. Un des meilleurs thérapeutes reste notre vie, et c'est pour ça que je me permets de résumer une dernière fois ce beau processus en un paragraphe :

On a tous vécu dans notre passé des événements traumatisants. Comme on ne s'est pas permis de ressentir l'émotion à ce moment-là, ça a créé en nous une charge émotionnelle qui est restée coincée dans notre être.

En vivant simplement notre vie, on fait face à des situations qui nous font revivre des émotions qui sont sur la même fréquence que celles qu'on ne s'est pas permis de ressentir au moment du traumatisme.

Par exemple, si nous avons vécu une situation qui a suscité une grande tristesse et que nous avons décidé de nier cette émotion au moment où elle s'est produite, un autre événement va se produire et nous replonger dans cette tristesse.

Ainsi, en ressentant simplement cette émotion, on permet à cette charge émotionnelle de se décoincer et de quitter notre être. Eckart Tolle le dit bien : « Toute émotion éclairée par notre présence se dissipe. »

Naturellement, plus on se permet de ressentir toutes ces émotions, plus on se guérit de notre passé, ce qui nous donne accès chaque fois à un peu plus de paix.

Je ne suis qu'un jeune élève dans tout ce beau processus, mais je trouve l'exercice fascinant. Juste l'idée d'avoir moins de pensées dysfonctionnelles et de pouvoir guérir mes conditionnements me plaît beaucoup. Après tout, nous sommes responsables du monde dans lequel nous vivons. L'extérieur est le reflet de notre intérieur. **En guérissant notre intérieur, on embellit l'extérieur.**

En bref,
je ne réagis pas
à l'émotion.
Je la ressens
et j'agis.

Chapitre 22

Respirons...

«*Un esprit calme est la meilleure arme contre tes défis.*»

- Bryant McGill

La meilleure façon de revenir dans l'instant présent (dénué de pensée ou d'autres parasites mentaux) reste selon moi la respiration. **En pensant à respirer, on ne pense pas à autre chose et on crée donc un temps d'arrêt dans nos pensées.** Je sais que ça peut paraître évident et pourtant, combien d'entre nous oublions de prendre le temps de respirer comme il se doit?

J'ai appris que le simple fait de prendre conscience de ma respiration aussi souvent que possible (et surtout quand je vis des émotions fortes) est un outil d'une grande puissance.

Quand je ressens une émotion telle que de la frustration ou de la colère, je me ramène à ma respiration. Cette dernière me permet de ne pas me laisser aveugler par l'émotion mais plutôt de la laisser passer et d'ensuite agir avec l'esprit plus calme.

Désir compulsif

Beaucoup d'entre nous ont des impulsions souvent inconscientes. Il peut s'agir de fumer, de boire, de regarder la télévision ou de jouer à des jeux vidéo. Pour ma part, j'ai eu de grosses impulsions de sucre. D'après moi, ces dernières sont nées d'habitudes ou d'un manque à combler. Dans les faits, elles font partie de ce que j'appelle des plaisirs à court terme, qui certes peuvent nous apporter un certain réconfort pendant un temps, mais qui nous nuisent à long terme.

Ainsi, quand je sens un désir compulsif m'envahir, je me recentre sur ma respiration. En général, après plusieurs respirations profondes, l'impulsion passe. Chaque fois que j'y arrive (car je n'y arrive pas toujours), je suis content d'avoir fait un choix bénéfique à long terme. Je me sens fier d'être passé à côté d'une mauvaise habitude qui ne m'apporte rien de bien.

Surtout, je me rends compte que plus je m'adonne à ce genre de pratique de respiration, plus l'impulsion perd de son pouvoir sur moi.

Je vous encourage ainsi à prendre le temps de penser à notre respiration. Elle est, selon moi, la clé de beaucoup de nos maux intérieurs.

Respirer aide à accepter

Peu importe ce que nous vivons, tant que notre vie n'est pas en danger, accepter la situation reste le choix le plus sage.

C'est la résistance à ce qui est qui nous fait souffrir. Une fois de plus, accepter ne veut pas dire rester sans rien faire. Accepter signifie dire oui intérieurement à une situation pour ensuite poser l'action nécessaire. Ainsi, respirer est très souvent le meilleur premier pas vers l'acceptation. Aussi basique et simple que ça puisse l'être, essayons ça maintenant :

- Tenons-nous le dos droit.
- Inspirons profondément par le nez jusque dans notre ventre pendant 5 secondes.
- Retenons notre respiration pendant 3 secondes.
- Expirons par la bouche pendant 5 secondes.
- À refaire au moins cinq fois.

Maintenant, voyons comment nous nous sentons. Il y a sûrement plus de calme et de sérénité à l'intérieur de nous en ce moment. C'est si simple et pourtant…

En bref, je prends le temps de respirer.

CHAPITRE 23

Dans le silence

« *Vous apprendrez plus en une heure de silence qu'en un an de lecture.* »

- MATTHEW KELLY

« *Si la méditation était enseignée à tous les enfants de huit ans sur la Terre, nous ferions disparaître la violence du monde en une génération.* »

- DALAÏ-LAMA

On a tous entendu parler de la méditation dans les dernières années. Elle devient de plus en plus populaire. Mais pourquoi méditer ? À quoi sert la méditation ?

Méditer veut dire être dans l'instant présent

On peut méditer sur un coussin ou assis dans l'autobus. L'idée est d'être pleinement là, dans le moment présent, conscient de ce qu'on fait.

C'est donc possible de méditer en jardinant si notre esprit est vraiment en train de jardiner et non de penser s'il nous reste ou non du lait dans le frigo.

Quand je médite, je suis assis sur un coussin. Je visualise le point entre mes deux narines et je porte attention à ma respiration qui entre et sort de mon nez. Naturellement, des pensées surgissent et il arrive que je me laisse emporter par elles. Puis je reviens à ma respiration. D'autres pensées viennent, je rentre dedans, puis je reviens à ma respiration.

En fait, la méditation entraîne notre esprit à ne pas se laisser emporter par le flot incessant de nos pensées.

C'est pour ça que je trouve que ce chapitre suit particulièrement bien les deux précédents dans lesquels on parlait de ne pas se laisser emporter par nos pensées ou nos émotions. Ne pas se laisser emporter par une pensée ou une émotion est la même chose. Dans les deux cas, on y arrive par la force de notre esprit. En fait, la méditation nous apprend à prendre pleinement conscience de ce qu'on est et de ce qu'on fait.

La plupart d'entre nous commencent la journée dans le stress et le mouvement, car nous pensons à toutes les choses qu'on va devoir faire. Pratiquer la méditation tous les matins fait qu'on se sent moins stressé, plus calme et plus serein.

Les bienfaits
- Une amélioration de la fonction cardiaque
- Un ralentissement du vieillissement
- Une amélioration de la concentration et de l'attention
- Un meilleur contrôle de la pression sanguine

De plus, certaines études ont montré que la méditation serait plus efficace que la médication. Bien entendu, je ne suis pas médecin et il est évident que les médicaments sont parfois nécessaires. Cependant, une chose est certaine, la méditation est un merveilleux complément.

Vipassana

Il y a environ un an, on m'a conseillé de vivre l'expérience Vipassana. Il s'agit d'un centre où on enseigne la méditation et qui est situé dans les environs de Montebello, à une heure trente minutes de route de Montréal. Là-bas, tout est fait pour que nous puissions nous concentrer et apprendre la méditation. Il n'y a rien d'autre à faire que de méditer. Pas de téléphone cellulaire, pas d'ordinateur, juste toi et ton coussin pendant dix jours. Je ne vous cacherai pas que c'est toute une expérience.

En résumé, c'est dix heures de méditation par jour, pendant dix jours. Pourquoi dix jours ? Selon les enseignants, c'est le temps qu'il faut pour apprendre cette pratique.

Maîtriser notre esprit

Il existe plusieurs formes de méditation. Celle que le centre Vipassana enseigne est très particulière. Elle nous amène à observer les sensations de notre corps afin de comprendre que celles-ci ne font que venir et repartir. C'est ce qu'on appelle l'impermanence des choses.

Au fil de cette expérience de dix jours, on comprend qu'on est capable de rester neutre devant des sensations agréables ou désagréables.

Je suis le genre de personne qui ne pouvait pas endurer une crampe sous le pied. Chaque fois que j'en avais une, j'avais le réflexe d'appuyer dessus pour la faire passer. J'ai appris là-bas à simplement l'observer quand elle arrive, car je sais qu'elle va repartir. Et effectivement, elle repart peu de temps après son arrivée.

Ce que je retire de cette pratique est clair : **c'est mon mental qui a enregistré que je ne pouvais pas supporter cette douleur.** C'est aussi mon mental qui me dit que c'est normal de réagir à une émotion négative.

Cela veut dire qu'avec de la pratique et de la patience on arrive à ne pas réagir à des émotions négatives quand elles nous envahissent. On peut se permettre de les ressentir sans les nourrir, pour ensuite poser les actions nécessaires de façon calme et lucide.

Faire remonter nos vieux conditionnements

Si vous décidez de suivre ce stage, vous allez vivre ce qu'on vit tous. Voyez-vous, après avoir médité plusieurs heures, quelque chose de fascinant se produit : notre corps devient chaud au point de transpirer. Et je parle ici de transpirer comme lorsqu'on fait de la fièvre.

On nous explique alors que c'est le processus de guérison qui commence. Au même titre que la fièvre aide à faire ressortir le virus, la transpiration fait remonter de vieux conditionnements passés. Cela peut être une blessure, un traumatisme, une honte. Bref, quelque chose qui nous dérange au plus profond de nous. **C'est comme si on déracinait nos blessures inconscientes pour les rendre**

conscientes. Ce processus provoque des maux de corps parfois durs à supporter. Et c'est là que la simple observation de la douleur entre en ligne de compte.

En résumé

Comme tous ceux qui l'ont vécue, je peux résumer en disant que mon expérience Vipassana en fut une en montagnes russes. Il y a eu des moments où je voulais me lever et partir. Mon mental me criait : « Tu n'as pas besoin de ça, sors d'ici ! » Et il y a eu des moments de reconnaissance où je me suis mis à pleurer de joie en voyant à quel point j'étais privilégié de vivre quelque chose qui me serait si utile pour le reste de ma vie.

L'image qui me vient à l'esprit pour décrire cette expérience est l'accouchement. Même si je n'ai jamais accouché, j'imagine que la douleur est proportionnelle à la joie que tu ressens une fois que le bébé est né.

Tout ça peut vous paraître bien étrange, mais c'est pourtant bien cela qui se passe là-bas. Il faut vraiment avoir vécu l'expérience pour saisir ce que j'écris ici.

Sachez que tous les gens à qui j'ai recommandé cette aventure ont trouvé terrifiante l'idée d'aller s'asseoir dix jours sur un coussin. Pourtant, à leur retour, ils m'ont tous remercié de leur avoir parlé de ça. La nourriture est excellente, les locaux sont accueillants et les gens qui s'en occupent sont merveilleux. Sachez aussi que c'est à don volontaire.

À la fin de votre séjour, vous donnez (ou pas) selon l'élan de votre cœur.

J'ai entendu quelque part qu'au début du XIXe siècle, peu de gens se brossaient les dents et qu'au début du XXe siècle, peu de gens faisaient du sport. Aujourd'hui, au début du XXIe siècle, peu de gens méditent. J'espère que la méditation gagnera autant en popularité que le brossage de dents et le sport.

Même si je ne suis encore qu'un jeune apprenti, je médite tous les matins. Je peux affirmer que me plonger régulièrement dans le silence a considérablement amélioré ma vie.

En bref, c'est en méditant que j'apprends à maîtriser mon esprit.

CHAPITRE 24

Juste moi, c'est assez

« Pourquoi vouloir toujours plus beau, plus loin, plus haut et vouloir décrocher la lune quand on a les étoiles ? »

- ÉTIENNE DAHO

Comme chaque année, l'événement le plus regardé à la télé partout dans le monde est le *Super Bowl*. Chaque année, on attend avec impatience la prestation d'un artiste à la mi-temps. Cette année, c'était Justin Timberlake.

Comme je n'ai jamais assisté à ce spectacle, je ne peux qu'imaginer les heures de préparation que nécessite une telle prestation. Réussir à exécuter toutes les chorégraphies en chantant juste et sans manquer de souffle me semble fabuleux !

Personnellement, j'ai trouvé ça excellent. Avoir l'air cool et totalement décontracté quand tu sais que tu performes à l'événement le plus regardé dans le monde est selon moi le signe d'une maîtrise totale de son art.

Il se trouve que le lendemain de ce spectacle, je donnais une entrevue à un journaliste. Naturellement, nos premiers échanges portaient sur le spectacle du *Super Bowl* de la veille. Il me disait qu'il avait trouvé ça bon, mais qu'il s'attendait à quelque chose de plus spectaculaire. Il m'a dit :

« Si je regarde ce que Lady Gaga a fait l'an dernier, je m'attendais à aussi bon, voire à meilleur. Elle a mis la barre très haut. » J'ai alors répondu en plaisantant : « S'il faut toujours placer la barre plus haut, un jour, ils vont devoir faire exploser le stade pour accoter nos attentes ! »

La plupart de ses pairs sont d'accord pour dire que Timberlake a fait une performance hallucinante et pourtant, beaucoup de gens ont été déçus. Je crois qu'on est déçu, parce que l'on compare souvent ce qu'on voit à une autre performance. On est déçu, car on avait d'autres attentes. On est déçu, car nos attentes étaient plus élevées.

Je ne suis pas déçu

C'est souvent la phrase que j'entends après mes spectacles : « J'ai vu ton premier spectacle et j'avais des attentes. Honnêtement, je ne suis pas déçu. » C'est fascinant de constater que même lorsqu'on aime quelque chose, au lieu d'en parler de manière positive et de dire « J'ai passé une belle soirée » ou « J'ai beaucoup rigolé », on va plutôt employer des mots à connotation négative comme « pas » et « déçu ».

Une fois de plus, j'ai l'impression que c'est peut-être nos attentes qui nous rendent ainsi.

Notre désir de prouver notre valeur

Beaucoup d'entre nous avons le désir de prouver notre valeur. On veut prouver qu'on réussit, qu'on a de l'argent, qu'on est important… Et comme les attentes augmentent tout le temps et qu'on est constamment en contact avec les autres, on est toujours en train de vouloir prouver sa valeur partout, à tout le monde. On est comme des hamsters qui courent dans une grande roue.

À courir après les attentes des gens, on arrête d'être soi et on devient ce que les autres veulent qu'on soit.

Au fond, pourquoi veut-on prouver qu'on est plus que ce qu'on est ? Sûrement parce qu'on sent qu'on n'est pas assez. Je suis fatigué juste à penser à toute l'énergie que j'ai dépensée pour impressionner les autres.

Je me rappelle quand j'ai commencé mon métier, je me demandais quelle serait la meilleure façon de me présenter et de me comporter lorsque j'irais faire des entrevues à la télévision. Après plusieurs années d'expérience, je peux dire que la réponse à cette question est de **rester simplement moi-même.**

Des attentes encore et toujours

Que ce soit pour mon deuxième spectacle ou ce deuxième livre, j'ai souvent entendu : « Les attentes sont élevées, tu dois avoir de la pression. » Naturellement, j'ai envie que les gens apprécient ce que je fais, mais je ne peux pas penser à leurs attentes quand je crée.

Je peux juste faire ce que j'ai à faire. Je ne me demande pas si ce livre aura le même succès que le premier. J'écris ce que je veux écrire, du mieux possible. C'est tout.

Pour m'aider à avancer dans ce processus de toujours devoir prouver quelque chose, j'ai conclu que la meilleure façon est de me regarder. Quand je constate que mon mental s'emballe parce qu'il veut plaire à quelqu'un, je me parle en me disant : « Calme-toi, à qui tu veux plaire en faisant ça ? Tu peux juste être toi. Tu n'as pas à forcer les choses pour te faire aimer. Fais ce que tu as à faire. Le reste ne t'appartient pas. »

Notre mental crée l'illusion que plus nous prouverons à quel point nous sommes bon, plus notre valeur augmentera.

Peut-être que notre valeur « commerciale » augmente, mais certainement pas notre valeur en tant qu'humain. Est-ce que tous ces efforts pour augmenter notre valeur commerciale en valent le coup ? À chacun sa réponse. Moi, je crois que non.

En bref,
j'ai juste à
être moi,
simplement moi.

CHAPITRE 25

Conclusion

« L'ego dit : quand tout sera en place, je trouverai la paix. L'âme dit : trouve la paix et tout se mettra en place. »

— ANONYME

À quoi sert la vie ?

C'est une question à laquelle de nombreux philosophes ont tenté de répondre. Je crois que chacun tente de lui donner un sens selon son prisme de pensée.

Pour ma part, je pense qu'elle sert à nous rappeler qui nous sommes : des êtres merveilleux capables de magnifiques choses.

J'entends beaucoup de gens dire que l'humanité se dirige vers un mur. C'est vrai que beaucoup de choses vont mal. C'est vrai que nous polluons notre environnement. C'est vrai que nous fomentons des guerres. C'est vrai que beaucoup de gens meurent de faim.

Malgré ça, j'ai foi en l'humanité. J'ai foi en nous.

Je pense qu'on crée autant de belles choses que de mauvaises. Moi, j'ai décidé de regarder le beau.

Je suis convaincu qu'on a tous le pouvoir de se créer une vie merveilleuse et d'avoir un effet important sur les autres.

Selon moi, c'est pour ça que nous sommes en admiration devant les grands sportifs. Ils nous rappellent à quel point nous sommes puissants. Ils nous rappellent à quel point nous sommes capables de grandes choses. Ces gens sont de merveilleux exemples d'humains qui ont fait le choix de consacrer les meilleures années de leur vie à devenir la meilleure version d'eux-mêmes.

C'est ce que je partage avec vous dans ce livre : des outils qui m'aident à devenir la meilleure version de moi.

Je ne suis ni un gourou ni un donneur de leçons. Je suis simplement un humain qui partage ce qui le rend meilleur. Je ne vous suggère pas d'adhérer à tout ce que je mentionne dans ce livre. Je vous suggère de vous en inspirer et de prendre ce qui vous attire pour ensuite découvrir d'autres outils qui vous feront grandir.

On est en vie

Nous avons tous reçu ce merveilleux cadeau qu'est la vie ! Et nous savons tous à quel point elle passe vite.

Désolé d'être si cru, mais on est tous en train de mourir et seulement quelques-uns d'entre nous sont vraiment en train de vivre.

Que veut dire le mot « vivant » ? Je me suis longtemps posé la question.

Pour moi, être vivant, c'est réaliser que ma vie est le résultat des choix que je fais. C'est ressentir mes émotions le plus possible, c'est accepter de vieillir et que mon corps change. C'est apprendre à me détacher de l'image que je me suis créée juste pour me faire accepter des autres. C'est accepter l'humain entier que je suis avec mes beaux et mes mauvais côtés. C'est aller dans la direction de ce qui me procure de la joie, autant dans mon métier que dans ma vie personnelle. C'est serrer fort dans mes bras tous mes proches en leur rappelant à quel point je les aime. C'est prendre le temps que j'ai pour me créer la plus belle vie possible.

Je nous encourage à oser, à faire des erreurs, à nous tromper, à affronter nos peurs, à embrasser le changement. Voilà le plus court chemin vers nous.

J'ai entendu cette belle histoire qu'Oprah Winfrey a racontée à Maya Angelou. Elle y dit à quel point elle est fière d'avoir construit une école en Afrique et comment cette école sera son plus bel héritage. Maya lui a répondu : « Ton plus bel héritage ne sera pas cette école. Ton plus bel héritage, c'est toutes les vies que tu as touchées. »

Ainsi, le plus bel héritage que l'on puisse laisser sur cette terre est celui qu'on offre au monde en étant nous.

Je crois que notre mission sur cette terre est d'être simplement nous.

On pense beaucoup à « faire » des choses au lieu « d'être ». Après tout, en anglais, on ne dit pas *human doing*, mais bien *human being.* **En pensant à être simplement nous, nous allons inévitablement faire des choses. Mais ces choses partiront d'une place plus vraie et plus belle.** Être implique de reconnecter avec nos qualités innées que sont le courage, la confiance et l'écoute de soi.

Le courage de se regarder honnêtement. La confiance de ne pas se changer pour plaire aux autres. L'écoute de soi pour suivre son cœur afin de mener sa vie comme on le désire.

Les gens chanceux ne sont pas nés chanceux. Les gens chanceux créent leur chance.

Je pense profondément que chaque être humain a une note à jouer dans cette belle symphonie qu'est la vie. Cette note se trouve en nous. Il nous suffit d'avoir le courage de l'écouter et de la jouer. Je crois qu'on naît pour être soi et vivre les rêves qu'on a en soi. Enfant, nous étions pleins de vie, confiants, courageux, joyeux. On voyait la vie comme une grande aventure offrant de multiples possibilités.

Ensuite, on a décidé, inconsciemment, de se laisser influencer par les programmations et les peurs de nos parents, de nos amis et de notre société. Toutes ces choses sont venues étouffer cette soif de vivre pour faire place à la peur, à la honte et à la culpabilité. En fait, ces choses sont venues éteindre la petite flamme qui voulait devenir un grand feu.

En bref, on a admis l'idée que ses rêves étaient trop grands et que son enthousiasme était mauvais.

La bonne nouvelle, c'est que ce pouvoir naturel est là, en nous. Il est juste caché sous le brouillard de conditionnements passés.

L'autre jour, mon gérant m'a demandé à quoi ça me servait de passer autant de temps à essayer toutes ces sortes d'outils, ce à quoi j'ai répondu : « **À me libérer de mes conditionnements et de mes blessures du passé afin d'être libre de goûter à la paix.** »

En me servant des outils que sont la méditation, l'hypnose et le yoga, en apprenant à ressentir calmement mes émotions au lieu de les laisser m'aveugler, je me guéris et j'apprends à devenir plus conscient de ce que je suis.

En résumé, j'apprends à me voir honnêtement

J'ai longtemps blâmé les autres ou la vie pour ce qui m'arrivait. **Aujourd'hui, j'apprends à assumer la totale responsabilité de ce que je crée dans ma vie.** J'apprends que ce sont très souvent mes choix qui m'ont mené ici. J'apprends donc à voir que j'ai très souvent la possibilité de faire de meilleurs choix, et donc de me créer plus de joie.

Je ne peux contrôler les autres, mais je peux choisir de parler différemment, d'agir plus sagement, d'être plus à l'écoute de mes besoins et de ceux des autres. Je peux choisir de changer ma vie en me changeant moi. Je me suis rendu compte que plus je me guérissais à l'intérieur et plus ma vie extérieure devenait simple. J'ai longtemps forcé la vie pour avoir des choses ou devenir quelqu'un.

Je ne dis pas qu'il ne faut pas poser des actions dans sa vie. Au contraire, le mouvement est nécessaire, mais un mouvement qui ne nécessite pas de forcer, de stresser ou de paniquer.

Avant, je voulais courir un sprint pour arriver vite au bout. Aujourd'hui, je marche tranquillement. L'ironie dans tout cela, c'est que je sais que je vais arriver au même point, sans forcer.

La meilleure analogie que j'ai trouvée est celle-ci : la vie est un peu comme une rivière qui coule. En fait, nous sommes la rivière et tous les conditionnements que l'on porte en nous sont des roches qui se sont mises au travers de la rivière.

Au bout d'un moment, il y a tellement de roches que ça crée un barrage. L'eau essaie de se frayer un passage à côté ou en dessous, mais ça ne fonctionne plus. Et c'est ce qu'on fait souvent dans notre vie : forcer. En se guérissant, on enlève peu à peu les roches qui nous empêchent d'avancer pour faire place à plus de fluidité. Ainsi, si j'avais à résumer ce livre en neuf mots, je dirais :

Guérissons-nous pour que la vie puisse couler librement.

Bonne route.

Jérémy

P.S.

Si vous pensez que ce livre pourrait aider quelqu'un, s'il vous plaît, prêtez-le-lui. Si vous pensez qu'il ne vous servira plus, je vous suggère de le donner ou simplement de le déposer n'importe où. La vie fera le reste.

Voyez-vous, beaucoup de gens m'ont dit à quel point mon premier ouvrage avait été la bougie d'allumage qui a changé leur vie. Et parmi ces gens, nombreux sont ceux qui m'ont dit que c'est un de leurs proches qui leur avait suggéré de le lire.

Qu'est-ce que ça signifie ?

Que la personne qui a suggéré ce livre a été aussi importante que moi qui l'ai écrit. Sans cette personne (peut-être vous en ce moment), ce livre ne se serait pas rendu à ces gens-là.

Je suis très sincère en disant ça. Je ne suis pas plus important que vous dans ce processus. Ma responsabilité a été de l'écrire. La vôtre est de le transmettre à qui bon vous semble. Si vous pensez que vous n'avez pas d'effet sur votre entourage, c'est faux.

Vous avez là une occasion fort simple de peut-être changer la vie de quelqu'un.

Comme dit le proverbe :

« Seul, on va plus vite. Ensemble, on va plus loin. »

P.P.S.

Je viens de recevoir sur Facebook un des messages les plus troublants et puissants de ma vie. J'ai demandé à l'auteur s'il me permettait de le partager pour vous montrer à quel point on a tous un effet les uns sur les autres.

Le voici :

« Bonjour Jeremy.

Je voulais seulement te dire merci d'être l'homme que tu es. En septembre 2017, j'étais complètement perdu. La femme de ma vie venait de me quitter après quatorze ans de vie commune et quatre enfants ensemble. J'ai été frappé une deuxième fois par la dépression. Par un soir de découragement, j'ai écrit ma lettre de suicide à mes enfants et à mon ex-conjointe. J'étais en train de mettre des munitions dans mon fusil quand mon portable qui était ouvert sur YouTube s'est mis à jouer seul. La vidéo s'appelait : « Se guérir », de Jeremy Demay.

Je ne sais pas pourquoi, mais ça a captivé mon attention et j'ai écouté ta vidéo. Ma vie a complètement changé. Je me suis rattaché à ça sans trop savoir pourquoi. Quelques jours plus tard, j'ai acheté ton livre et j'ai essayé de mettre en application tes précieux conseils. Aujourd'hui, ce n'est pas parfait, mais je me souviendrai toujours de ce soir-là où tout allait mal et que la vie m'a envoyé un message, je crois.

Merci encore. »

Remerciements

Je suis vraiment reconnaissant envers Stéphanie Carrières, Jérémy Bretignière et le grand Simon pour avoir pris le temps de lire ce livre afin de m'en donner une belle critique. Vos mots et le temps que vous m'avez offerts m'ont été indispensables.

Merci à Philippe Comeau d'avoir trouvé le titre parfait pour cet ouvrage, ainsi que pour le temps qu'il a pris afin de me conseiller pour la couverture. J'apprends tellement à tes côtés Philou !

Merci à Ziad. Juste ta présence me fait du bien. Je suis privilégié de faire partie de ta vie.

Merci à toi Gilles Cormier, tu es devenu un père spirituel, et t'avoir à mes côtés est si précieux.

Merci à Martin Durocher, mon gérant et coéditeur dans ce beau projet. Je sens que ton amour pour moi est sincère, et je suis privilégié de pouvoir cheminer à tes côtés. Comme j'aime le répéter, on n'est pas toujours d'accord, mais on est toujours unis et j'espère que ce sera pour longtemps.

Merci à Pierre Manning et aux graphistes de Bite Size Entertainment pour la couverture et la forme de cet ouvrage.

Un gros merci à Alex Nevsky et à Chantal Lacroix pour avoir pris le temps de lire ce livre afin d'écrire des mots qui l'embellissent.

Merci à toi papa qui me regarde de là-haut et merci maman pour ton amour. Sans vous, ce livre n'existerait pas.

Un profond merci à Franck Lopvet. Tu es entré dans ma vie par hasard et tu as fortement contribué à faire de moi un meilleur être humain. Ce livre est ce qu'il est en grosse partie grâce à toi.

Enfin, merci à toi, Marie Beauchemin. Tu as été patiente et aimante. Tu as été là pour moi depuis le début et maintenant, c'est à mon tour de te soutenir.

Ce livre t'est dédié.

Pour me rejoindre :

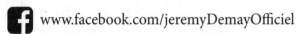 www.facebook.com/jeremyDemayOfficiel

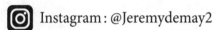 Instagram : @Jeremydemay2

 Twitter : @JeremyDemay

Du même auteur
LA LISTE
ISBN 978-2-89225-896-7

NOTES

NOTES